INFOTIME

Matthias Schröder

Zero-Waste-Lifestyle

Praktische Tipps, um Müll zu reduzieren und nachhaltiger zu leben.

INFOTIME

Besuche uns im Internet: **www.infotime.de**

Bibliografische Information der Deutschen Nationalbibliothek: Die
Deutsche Nationalbibliothek verzeichnet diese Publikation in der
Deutschen Nationalbibliografie; detaillierte bibliografische Daten
sind im Internet über http://dnb.dnb.de abrufbar.

Herstellung und Verlag:
BoD – Books on Demand, Norderstedt

ISBN: 978-3-7583-7339-8

INFOTIME

INHALT

Der Weg zu einem Zero-Waste-Lifestyle

In unserer konsumorientierten Welt, in der die Wegwerfkultur allgegenwärtig ist, steht „Zero Waste" für eine revolutionäre Bewegung. Sie fordert uns auf, die Auswirkungen unseres Handelns auf unseren Planeten zu hinterfragen. Zero Waste ist mehr als ein Trend – es ist ein bewusster Ansatz, Abfall zu minimieren, Ressourcen zu bewahren und unsere Umwelt für kommende Generationen zu schützen.

Dieser Ratgeber lädt dich ein, Teil dieser Bewegung zu werden. Er wendet sich an alle, die bereit sind, ihre Gewohnheiten zu überdenken und sich von der Wegwerfkultur zu lösen. Starte jetzt und mache heute deinen ersten Schritt zu einem nachhaltigeren Leben. Egal, ob du neu in der Welt der Nachhaltigkeit bist oder schon Zero-Waste-Praktiken lebst, dieser Ratgeber bietet Inspiration, praktische Tipps und tiefe Einblicke in die Bewegung.

Wir starten mit den Grundlagen des Zero-Waste-Lifestyles und erkunden, warum es wichtiger denn je ist, unsere Konsumgewohnheiten zu überdenken. Danach beleuchten wir verschiedene Lebensbereiche, wie Küche, Badezimmer, Mode und entdecken Strategien, um Abfall zu verringern und nachhaltiger zu leben. Außerdem lernen wir, wie wir den Zero-Waste-Lifestyle über den persönlichen Bereich hinaus ausweiten und positiv auf unsere Gemeinschaft und die Gesellschaft einwirken können.

Ein Zero-Waste-Lifestyle ermutigt uns, vollständig für unsere Entscheidungen Verantwortung zu übernehmen. Es fordert uns heraus, über die unmittelbaren Auswirkungen unseres Konsums hinauszudenken und uns für den Schutz unserer Umwelt und die Sicherung einer lebenswerten Zukunft einzusetzen. Dieser Weg ist voller Herausforderungen, die uns anregen, gewohnte Pfade zu verlassen, nach neuen Lösungen zu suchen und unser Verhalten stetig zu hinterfragen und zu verbessern. Es ist ein Prozess des ständigen Lernens, der unser Wissen über nachhaltige Praktiken erweitert und ein tiefes Verständnis für die Verbindung zwischen individuellem Handeln und globalen Umweltauswirkungen fördert.

Der Weg zum Zero-Waste-Lifestyle ist keine Bürde, sondern eine Quelle der Zufriedenheit und des Glücks. Die bewusste Entscheidung, Abfall zu reduzieren und Ressourcen sinnvoll zu nutzen, bringt tiefe Befriedigung. Es ist die Freude, aktiv zu einer Lösung beizutragen, die Umweltbelastung zu minimieren und einen positiven Fußabdruck auf der Erde zu hinterlassen. Der Übergang zu einem bewussteren Leben eröffnet neue Perspektiven, stärkt das Gemeinschaftsgefühl und führt

Zero-Waste-Lifestyle

zu einem erfüllteren Leben. Der Zero-Waste-Lifestyle ist eine Einladung, unseren Alltag mit Achtsamkeit und Verantwortung zu gestalten und die Schönheit eines nachhaltigen Lebens zu entdecken und zu genießen.

Gemeinsam beschreiten wir diesen Weg – Schritt für Schritt, mit Offenheit, Neugier und dem festen Willen, die Welt zu verbessern.

Willkommen zu deinem Zero-Waste-Abenteuer.

Grundlagen des Zero-Waste-Lifestyles

Die Grundlagen des Zero-Waste-Lifestyles eröffnen nicht nur einen persönlichen Weg, sondern repräsentieren auch eine umfassende Bewegung, die darauf abzielt, unseren Planeten zu schützen. Im Zentrum steht die signifikante Reduktion des alltäglich produzierten Mülls durch ein bewussteres Leben und den effizienteren Einsatz von Ressourcen. Jede Kaufentscheidung hat weitreichende Konsequenzen – nicht nur für unsere direkte Umgebung, sondern auch global. Das Bewusstmachen dieser Auswirkungen ist der erste Schritt zu einem nachhaltigeren Leben.

Indem wir erkennen, dass jeder von uns eine wichtige Rolle in diesem Ökosystem spielt, begreifen wir die Tragweite jedes Beitrags zur Abfallreduktion. Zero Waste motiviert uns, Alltagsgegenstände, von Lebensmittelverpackungen bis zu Pflegeprodukten, kritisch zu betrachten und nach umweltfreundlicheren Alternativen Ausschau zu halten. Dies kann durch den Kauf unverpackter Lebensmittel, die Verwendung wiederverwendbarer Behälter oder die Unterstützung nachhaltig agierender Unternehmen erfolgen.

Über den persönlichen Konsum hinaus begünstigt der Zero-Waste-Lifestyle eine kulturelle Verschiebung hin zu einer Kreislaufwirtschaft. In dieser werden Produkte so gestaltet und verwendet, dass sie am Ende ihrer Lebenszeit recycelt oder kompostiert werden können, anstatt Müll zu produzieren. Diese Philosophie appelliert nicht nur an Einzelpersonen, sondern auch an Unternehmen und Regierungen, nachhaltigere Produktions- und Konsummodelle zu fördern.

Zero Waste ist eine Reise, die mit dem Bewusstsein für unsere Konsumgewohnheiten beginnt und uns dazu anhält, Verantwortung für die Folgen unserer Entscheidungen zu übernehmen. Es ist ein stetiger Prozess des Lernens, Anpassens und Verbesserns, der nicht nur unseren Lebensstil bereichert, sondern auch positiv auf die Umwelt und zukünftige Generationen wirkt. Durch das Verstehen und Anwenden dieser Prinzipien im Alltag tragen wir aktiv zur Schaffung einer lebenswerten Welt für nachkommende Generationen bei.

Priorisierung von Bedürfnissen gegenüber Wünschen

Ein zentraler Aspekt des Zero-Waste-Lifestyle ist das bewusste Unterscheiden zwischen echten Bedürfnissen und flüchtigen Wünschen. Wenn wir lernen, unsere wahren Bedürfnisse zu erkennen und ihnen Vorrang zu geben, können wir unnötigen Konsum verhindern. Es geht darum, sorgfältig zu wählen, was wirklich notwendig ist und was lediglich ein vorübergehender Wunsch ist, der letztlich zu überflüssigem Müll führt. Diese

Zero-Waste-Lifestyle

Fertigkeit ist entscheidend für einen nachhaltigen Lebensstil und insbesondere für die Zero-Waste-Philosophie. Durch das bewusste Abwägen zwischen Bedürfnissen und Wünschen können wir unseren Konsumverhalten gezielter steuern. Das führt nicht nur zu weniger Müll, sondern steigert auch unsere Lebensqualität, indem wir uns auf das Wesentliche konzentrieren. Folgende Schritte helfen dabei, Bedürfnisse von Wünschen zu unterscheiden:

Selbstreflexion

Selbstreflexion ist ein kraftvolles Werkzeug, das uns dabei hilft, unseren eigenen Konsum kritisch zu hinterfragen und einen bewussteren Lebensstil zu fördern. Wenn wir uns regelmäßig Zeit nehmen, um über unsere Kaufgewohnheiten nachzudenken, beginnen wir besser zu verstehen, was uns zu bestimmten Käufen antreibt. Frag dich bei jedem potenziellen Kauf: „Benötige ich das wirklich, oder ist es nur ein flüchtiger Wunsch?" Diese Frage hilft dir, wahre Bedürfnisse von vorübergehenden Wünschen zu unterscheiden.

Die Gewohnheit der Selbstreflexion ermöglicht es uns, tief verwurzelte Verhaltensmuster zu erkennen und zu verstehen, wie diese unseren Konsum und somit unsere Abfallproduktion beeinflussen. Ziel ist es, den reflexartigen Griff zu neuen Produkten zu überdenken und den wahren Wert und die Notwendigkeit jedes Kaufs sorgfältig abzuwägen. Diese bewusste Beschäftigung mit unseren Konsumgewohnheiten ermöglicht es uns, Entscheidungen zu treffen, die nicht nur unseren persönlichen Bedürfnissen entsprechen, sondern auch unseren ökologischen Fußabdruck verkleinern.

Budgetierung

Das Erstellen eines Budgets, das Grundbedürfnisse in den Vordergrund stellt, ist ein wirksames Werkzeug, um unnötigen Konsum aufzudecken und zu minimieren. Ein durchdachtes Budget bietet einen klaren Rahmen, der es uns erlaubt, unsere finanziellen Mittel zielgerichtet zu nutzen und sicherzustellen, dass lebenswichtige Bedürfnisse wie Nahrung, Wohnen, Kleidung und Gesundheitsversorgung gedeckt sind. Indem wir unser Budget um diese Kernausgaben herum planen, fällt es uns leichter, überflüssige Ausgaben zu identifizieren und einzuschränken.

Die Praxis der Budgetierung ermutigt uns, jeden Kauf sorgfältig zu prüfen und seine Relevanz in unserem Leben zu bewerten. Sie schärft unser Bewusstsein für eine effiziente Nutzung finanzieller Ressourcen, um ein zufriedenes und nachhaltiges Leben zu führen. Zudem kann eine kluge Budgetplanung dazu beitragen, finanziellen Stress zu reduzieren, indem sie uns hilft, unsere Ausgaben zu überwachen und unsere finanzielle Sicherheit zu verbessern.

Zero-Waste-Lifestyle

Warteperiode einführen

Das Einführen einer Warteperiode vor dem Kauf ist eine einfache, aber sehr effektive Strategie, um Impulskäufen entgegenzuwirken. Indem wir uns selbst eine Bedenkzeit setzen, zum Beispiel 30 Tage, verschaffen wir uns die Gelegenheit, den tatsächlichen Bedarf und den Wert eines Produkts sorgfältig zu prüfen. Diese Pause hilft uns, vorschnelle emotionale Entscheidungen zu vermeiden und fundiert zu bewerten, ob wir das Produkt wirklich benötigen oder es sich lediglich um ein flüchtiges Verlangen handelt.

Während dieser Wartezeit bietet sich uns die Chance, nach Alternativen zu suchen, Produktbewertungen zu lesen, Preise zu vergleichen und zu überlegen, ob wir vielleicht schon etwas Ähnliches besitzen, das denselben Zweck erfüllt. Häufig erkennen wir, dass unser anfängliches Verlangen mit der Zeit nachlässt und der Bedarf an dem Produkt nicht so dringlich ist, wie wir anfangs dachten. Diese Vorgehensweise unterstützt nicht nur ein nachhaltigeres Konsumverhalten, sondern hilft uns auch, Geld zu sparen und eine tiefere Zufriedenheit mit den Dingen zu entwickeln, die wir bereits besitzen.

Alternativen erkunden

Das Erkunden von Alternativen vor dem Kauf eines neuen Produkts ist ein entscheidender Schritt auf dem

Zero-Waste-Lifestyle

Weg zu einem Zero-Waste-Lifestyle. Diese Herangehensweise motiviert uns, kreativ zu werden und nach Möglichkeiten zu suchen, bestehende Gegenstände neu zu nutzen oder umzugestalten, anstatt sofort neue zu kaufen. Indem wir uns fragen, ob wir bereits etwas haben, das den gleichen Zweck erfüllt, meiden wir unnötigen Konsum und fördern eine Kultur der Wertschätzung und Dauerhaftigkeit unserer Besitztümer.

Vor einem Kauf sollten wir unseren Besitz prüfen und überlegen, ob ein ähnlicher Gegenstand schon vorhanden ist, der mit einigen Anpassungen oder Reparaturen die gleiche Funktion übernehmen könnte. Dieser Ansatz hilft, die Lebensdauer von Produkten zu erhöhen und den Bedarf an neuen Gütern zu verringern. Zudem kann die Suche nach Alternativen in unserem eigenen Haushalt oder innerhalb der Gemeinschaft, zum Beispiel durch Ausleihen oder Tauschen, eine praktische Möglichkeit sein, unsere Bedürfnisse zu erfüllen und gleichzeitig der Wegwerfkultur entgegenzuwirken.

Die Suche nach Alternativen inspiriert zu Kreativität und Innovation, indem sie uns herausfordert, über die gewohnten Nutzungsmöglichkeiten hinauszudenken und Gegenstände in einem neuen Licht zu betrachten. So könnte ein altes T-Shirt zu einem Putzlappen oder eine leere Glasflasche zu einem Aufbewahrungsgefäß werden. Diese Praxis schärft unser Bewusstsein für die vielseitigen Verwendungsmöglichkeiten von Objekten und hilft uns, den Wert von Gegenständen über ihren ursprünglichen Zweck hinaus zu schätzen.

Ebenso fördert das Erkunden von Alternativen die Reduktion unserer Abhängigkeit von neuen Produkten und unterstützt eine nachhaltigere Konsumkultur, in der Ressourcen effizient genutzt und Abfall verringert wird. Indem wir lernen, mit dem auszukommen, was wir bereits besitzen, und kreative Lösungen für unsere Bedürfnisse finden, gehen wir einen wesentlichen Schritt in Richtung eines Zero-Waste-Lifestyle und verbessern unsere Lebensqualität durch einen bewussteren und nachhaltigeren Konsum.

Investition in Qualität

Die Entscheidung für hochwertige und langlebige Produkte steht im Mittelpunkt des Zero-Waste-Lifestyle. Zwar mag diese Wahl anfangs teurer erscheinen, doch führt sie langfristig zu beträchtlichen Einsparungen, da die Notwendigkeit, Produkte häufig zu ersetzen, deutlich abnimmt. Weiterhin verringert die Investition in Qualität den Müll, der durch die schnelle Ersetzung kurzlebiger Produkte entsteht.

Qualität anstelle von Quantität zu wählen, bedeutet, bewusste Entscheidungen zu treffen, die sowohl die langfristigen Auswirkungen auf die Umwelt als auch auf unsere Lebensqualität berücksichtigen. Langlebige Produkte entkommen dem Zyklus des schnellen

Konsums, reduzieren den Verbrauch natürlicher Ressourcen und verringern die Abfallmengen.

Bei der Auswahl von Qualitätsprodukten ist es wesentlich, sich im Vorfeld zu informieren, Bewertungen zu studieren und Marken zu bevorzugen, die für ihre Haltbarkeit und Nachhaltigkeit bekannt sind. Achte auf Garantien und einen verlässlichen Kundenservice, der im Falle von Problemen Unterstützung bietet, und bevorzuge reparierbare Produkte, um eine vollständige Ersetzung bei Beschädigungen zu umgehen. Diese überlegte Vorgehensweise fördert nicht nur einen nachhaltigeren Lebensstil, sondern unterstützt auch eine Wirtschaft, die Wert auf Qualität und Nachhaltigkeit legt.

Investitionen in Qualität sind gleichzeitig Investitionen in unsere Lebensqualität. Dauerhafte und funktionale Produkte verbessern unser Nutzungserlebnis und vermeiden Frustration und den zusätzlichen Aufwand, der mit dem häufigen Ersatz minderwertiger Artikel einhergeht. Sie fördern eine tiefere Wertschätzung für unsere Besitztümer und eine bewusstere Beziehung zu unserem Konsumverhalten.

Indem wir Qualität vor Quantität setzen, tragen wir wesentlich zur Förderung nachhaltiger Produktionsmethoden bei und unterstützen Unternehmen, die sich für Umweltschutz und soziale Verantwortung einsetzen. Obwohl dies anfänglich eine finanzielle und zeitliche

Investition für die Recherche bedeutet, sind die langfristigen Vorteile für den Planeten und unser persönliches Wohlbefinden enorm.

Werte als Leitfaden nutzen

Die Ausrichtung unserer Kaufentscheidungen an persönlichen Werten ist ein wesentlicher Schritt hin zu einem nachhaltigeren und bewussteren Lebensstil. Wenn wir unsere Entscheidungen basierend auf unseren Werten und Überzeugungen treffen, stellen wir sicher, dass unsere Käufe nicht nur unsere direkten Bedürfnisse befriedigen, sondern auch langfristig zu einer besseren Welt beitragen. Dieser Ansatz erlaubt es uns, über den Moment hinaus zu denken und Produkte sowie Praktiken zu unterstützen, die mit unserem Verständnis von Nachhaltigkeit, Fairness und ethischer Verantwortung in Einklang stehen.

Unsere persönlichen Werte können breit gefächert sein und Themen wie Umweltschutz, soziale Gerechtigkeit und Tierwohl umfassen. Durch die Auswahl von Produkten, die von Unternehmen hergestellt werden, die diese Werte teilen, tragen wir aktiv zu einer Kultur bei, die Nachhaltigkeit und ethische Verantwortlichkeit wertschätzt. Dies bedeutet, Marken zu bevorzugen, die transparente Informationen über ihre Produktionsprozesse bieten, faire Arbeitsbedingungen schaffen, in umweltfreundliche Technologien investieren und sich für den Erhalt natürlicher Ressourcen engagieren.

Sich an eigenen Werten zu orientieren, verlangt eine bewusste Auseinandersetzung mit unserem Konsumverhalten und dessen Auswirkungen. Wir müssen kritische Fragen stellen: Woher kommt dieses Produkt? Wie wurde es hergestellt? Besteht es aus nachhaltigen Materialien? Lässt es sich am Ende seiner Nutzungsdauer recyceln oder kompostieren? Diese Fragen fördern ein tiefgehendes Verständnis für die Herkunft und die Konsequenzen unserer Konsumgüter und motivieren Unternehmen, nachhaltigere und ethischere Praktiken zu übernehmen.

Die Entscheidung, unsere Werte als Richtschnur für unsere Käufe zu nutzen, mag zunächst herausfordernd sein und erfordert oft ausgiebige Recherche sowie gelegentlich höhere Ausgaben. Die Belohnung für diese Mühe ist jedoch das Wissen, dass jeder Kauf einen positiven Beitrag leistet, sei es durch die Unterstützung fairer Arbeitsbedingungen, den Schutz der Umwelt oder die Förderung des Tierwohls. Jeder Kauf wird so zu einer bewussten Handlung, die weit über den persönlichen Nutzen hinausgeht und zu einer gerechteren und nachhaltigeren Welt beiträgt.

Indem wir unsere Werte in den Vordergrund unserer Entscheidungen stellen, entwickeln wir eine tiefere

Verbindung zu den Produkten und Marken, die wir unterstützen. Dies fördert nicht nur einen nachhaltigen Lebensstil, sondern vermittelt auch ein Gefühl der Zufriedenheit und des Stolzes, aktiv an der Schaffung einer besseren Zukunft mitzuwirken.

Gemeinschaftliche Ressourcen nutzen

Die Nutzung gemeinschaftlicher Ressourcen ist ein wesentlicher Schritt, um den Konsum neuer Produkte zu reduzieren und einen Zero-Waste-Lifestyle zu unterstützen. Dieser Ansatz basiert auf dem Teilen, Ausleihen und Tauschen von Gegenständen innerhalb einer Gemeinschaft, wodurch die Lebensdauer von Produkten verlängert, Abfall reduziert und die Nachfrage nach neuen Gütern verringert wird.

In vielen Gemeinschaften existieren bereits Plattformen wie Leihläden oder Bibliotheken der Dinge, die es Mitgliedern ermöglichen, Werkzeuge, Bücher, Sportausrüstung und andere Artikel auszuleihen oder zu tauschen. Diese Initiativen fördern eine effizientere Nutzung von Ressourcen und stärken das Gemeinschaftsgefühl sowie den sozialen Zusammenhalt durch gegenseitigen Austausch und Interaktion.

Über physische Gegenstände hinaus umfasst die Nutzung gemeinschaftlicher Ressourcen auch das Teilen von Wissen und Fähigkeiten. Workshops, Reparaturcafés und Bildungsangebote innerhalb der Gemeinschaft vermitteln Kompetenzen, die es Einzelnen ermöglichen, Produkte länger zu nutzen, selbst zu reparieren oder zu upcyceln. Dies stärkt nicht nur die Resilienz innerhalb der Gemeinschaft, sondern fördert auch einen verantwortungsvollen Umgang mit Ressourcen.

Die aktive Beteiligung an oder die Initiierung von Netzwerken gemeinschaftlicher Ressourcen kann maßgeblich dazu beitragen, den individuellen und kollektiven ökologischen Fußabdruck zu reduzieren. Indem wir die Annahme infrage stellen, dass jeder Haushalt jedes Produkt selbst besitzen muss, und uns stattdessen für geteilte Ressourcen entscheiden, leisten wir einen Beitrag gegen die Wegwerfkultur.

Die Nutzung gemeinschaftlicher Ressourcen eröffnet die Möglichkeit, bewusster zu konsumieren und Entscheidungen zu treffen, die nicht nur unseren Lebensstil bereichern, sondern auch positive Auswirkungen auf Umwelt und Gemeinschaft haben. Sie zeigt auf, dass viele Bedürfnisse durch Teilen, Ausleihen und Tauschen gedeckt werden können, ohne stets neue Produkte erwerben zu müssen.

Durch die Förderung und Unterstützung gemeinschaftlicher Ressourcen unterstützen wir einen Wandel hin zu mehr Gemeinschaft, Nachhaltigkeit und gegenseitiger Hilfe. Dies motiviert dazu, über den eigenen Konsum

Zero-Waste-Lifestyle

hinaus zu denken und gemeinsam einen inklusiveren und nachhaltigeren Lebensstil zu fördern.

Zero Waste in der Küche

Die Küche spielt eine zentrale Rolle auf dem Weg zu einem Zero-Waste-Lifestyle. Sie birgt unendlich viele Chancen, um unseren ökologischen Fußabdruck zu minimieren. Durch bewusste Entscheidungen in Bezug auf den Einkauf, die Lagerung und die Zubereitung von Lebensmitteln kannst du wesentlich zum Umweltschutz beitragen. Zusätzlich profitierst du von einer besseren Gesundheit und einer höheren Lebensqualität.

Plastikfreies Einkaufen

Dein Weg zu einer Zero-Waste-Küche beginnt bereits beim Einkaufen – einem kritischen Moment, der entscheidend beeinflusst, wie viel und welche Art von Müll wir produzieren. Der Schlüssel liegt im plastikfreien Einkauf, einem Ansatz, der nicht nur darauf abzielt, Verpackungsmüll zu reduzieren, sondern auch unser Bewusstsein für die Herkunft und den Lebenszyklus der Produkte zu schärfen.

Die Entscheidung für frische, unverpackte Lebensmittel ist ein grundlegender Schritt, der nicht nur zu einer gesünderen Ernährung anregt, sondern auch den Verbrauch von Einwegplastik drastisch reduziert. Der Kauf von Obst und Gemüse, das nicht in Plastik verpackt ist, führt uns oft zu Wochenmärkten oder spezialisierten

Zero-Waste-Lifestyle

Unverpackt-Läden, die eine Vielzahl an Produkten ohne unnötige Verpackung anbieten. Diese Orte stärken nicht nur die lokale Wirtschaft, sondern fördern auch nachhaltige Landwirtschaftspraktiken.

Die Verwendung von wiederverwendbaren Netzen oder Stoffbeuteln für den Transport von lose gekauften Lebensmitteln ist ein weiterer wesentlicher Aspekt des plastikfreien Einkaufs. Diese einfachen, aber wirkungsvollen Hilfsmittel ermöglichen es uns, auf Einwegplastiktüten zu verzichten und gleichzeitig die Frische der Produkte zu bewahren. Ansonsten erlauben viele Bulk-Läden den Einkauf von trockenen Lebensmitteln wie Reis, Nudeln oder Getreide, indem Kunden ihre eigenen Behälter mitbringen und befüllen können. Dieser Ansatz minimiert nicht nur den Verpackungsmüll, sondern ermöglicht es auch, genau die Menge zu kaufen, die benötigt wird, was zusätzlich zur Reduktion von Lebensmittelverschwendung beiträgt.

Der plastikfreie Einkauf setzt ein Umdenken voraus und erfordert eine gewisse Planung und Vorbereitung, etwa das Mitführen eigener Behälter und Beutel. Doch die Bemühungen zahlen sich aus, indem sie zur Verringerung des ökologischen Fußabdrucks beitragen und uns ein Stück näher an ein nachhaltigeres Lebensmodell bringen. Indem wir bewusst entscheiden, was und wie wir kaufen, nehmen wir aktiv Einfluss auf die Industrie und fördern die Entwicklung umweltfreundlicherer Produktions- und Vertriebsmethoden.

Saisonales und regionales Einkaufen

Die Entscheidung, saisonal und regional einzukaufen, ist ein zentraler Baustein des Zero-Waste-Lifestyle. Diese Praxis schont nicht nur die Umwelt, sondern stärkt auch die lokale Wirtschaft und fördert unsere Gesundheit. Indem wir uns bewusst für Lebensmittel entscheiden, die in unserer Region angebaut werden und deren Anbau den natürlichen Jahreszeiten entspricht, können wir unseren ökologischen Fußabdruck deutlich verringern. Gleichzeitig profitieren wir von der Frische und hohen Nährstoffdichte der Nahrungsmittel.

Vorteile des saisonalen und regionalen Einkaufens:

Umweltschonung

Das Bewusstsein für saisonale und regionale Lebensmittel ist ein Schlüsselelement im Umweltschutz. Lebensmittel, die weite Transportwege zurücklegen, tragen erheblich zu CO_2-Emissionen bei. Durch den Einkauf von saisonalen und regionalen Produkten können wir diese Transportdistanzen deutlich verringern und somit die Umweltbelastung senken. Zudem trägt der Verzicht auf außerhalb ihrer natürlichen Saison angebaute Produkte, die in energieaufwendigen Gewächshäusern produziert werden, zur weiteren Reduzierung unseres CO_2-Fußabdrucks bei.

Unterstützung lokaler Produzenten

Der Einkauf regionaler Produkte spielt eine entscheidende Rolle bei der Unterstützung lokaler Bauern und Kleinproduzenten. Er stärkt nicht nur die lokale Wirtschaft, sondern trägt auch zum Erhalt kleiner landwirtschaftlicher Betriebe bei. Diese Unterstützung ist essenziell für die Vielfalt des Lebensmittelangebots und die Sicherung von Arbeitsplätzen in der Region.

Zusätzlich ermöglicht der direkte Kontakt mit den Produzenten auf Märkten oder in Hofläden einen Einblick in die Produktionsbedingungen. Dies fördert Transparenz und baut Vertrauen in die Qualität der Lebensmittel auf. Indem wir bewusst wählen, wo und von wem wir kaufen, leisten wir einen wichtigen Beitrag zur nachhaltigen Entwicklung unserer Gemeinschaft.

Gesundheitliche Vorteile saisonaler Ernährung

Saisonale Lebensmittel, die in ihrer natürlichen Reifezeit geerntet werden, sind oft nährstoff- und vitaminreicher als jene, die außerhalb ihrer Saison angebaut oder über lange Zeiträume gelagert werden. Der Verzehr von saisonalen und regionalen Produkten unterstützt zudem eine vielfältige Ernährung, da sich das verfügbare Angebot mit den Jahreszeiten wandelt. Diese Praxis trägt nicht nur zu einer ausgewogenen und gesunden Ernährungsweise bei, sondern stärkt auch das Wohlbefinden durch den Genuss frischer und qualitativ hochwertiger Lebensmittel.

Stärkung der Gemeinschaft durch lokalen Einkauf

Das Einkaufen auf lokalen Bauernmärkten oder die Beteiligung an Food-Coops und solidarischen Landwirtschaftsprojekten hat nicht nur positive Effekte auf die lokale Gemeinschaft, sondern erhöht auch das Bewusstsein für die Herkunft unserer Lebensmittel. Diese Aktivitäten bauen eine Brücke zwischen Konsumenten und Produzenten und fördern ein wechselseitiges Verständnis sowie die Wertschätzung für die landwirtschaftliche Arbeit. Durch die direkte Unterstützung lokaler Erzeuger tragen wir zur Vitalität unserer Gemeinschaft bei und lernen gleichzeitig die Menschen kennen, die für die Nahrungsmittel verantwortlich sind, die wir täglich konsumieren. Diese Nähe zum Produktionsprozess verstärkt unser Bewusstsein für die Bedeutung nachhaltiger Landwirtschaft und stärkt das Gefühl der Zusammengehörigkeit innerhalb der Gemeinschaft.

Beitrag zur Biodiversität durch saisonalen und regionalen Einkauft

Der Einkauf von regionalen und saisonalen Produkten unterstützt den Anbau einer breiten Vielfalt von Pflanzenarten und leistet damit einen wichtigen Beitrag zur

Bewahrung der Biodiversität. Die Präferenz für diese Produkte hilft, den Trend zu Monokulturen und den intensiven Anbau von ganzjährig verfügbaren Lebensmitteln zu verringern, was sich positiv auf Bodenqualität und Ökosysteme auswirkt.

Durch die Entscheidung für saisonale und regionale Produkte wählen wir bewusst einen nachhaltigeren und gesünderen Lebensstil, der nicht nur der Umwelt, sondern auch der Gesellschaft zugutekommt. Diese Praxis ist ein einfacher, jedoch effektiver Weg, um aktiv einen verantwortungsvollen Umgang mit unseren natürlichen Ressourcen zu fördern und die Basis für eine nachhaltige Zukunft der Ernährungssicherheit zu stärken.

Lebensmittel richtig lagern

Effiziente Lebensmittellagerung ist essenziell, um Lebensmittelverschwendung zu minimieren und einen Zero-Waste-Lifestyle in der Küche zu verwirklichen. Durch sorgfältige Aufbewahrung bleiben Lebensmittel länger haltbar, und der Einsatz unnötiger Verpackungen wird vermieden. Eine durchdachte Lagerung reduziert nicht nur deinen ökologischen Fußabdruck, sondern trägt auch zu einer ordentlichen und ästhetisch ansprechenden Küche bei.

Glasbehälter sind eine ausgezeichnete Wahl zur Lebensmittelaufbewahrung. Sie bewahren die Frische, reduzieren den Gebrauch von Einwegplastik, sind langlebig, chemikalienfrei, vollständig recycelbar und leicht zu reinigen – ideal für eine umweltbewusste Küche. Sie eignen sich hervorragend sowohl für Essensreste als auch für die Vorratshaltung von Bulk-Lebensmitteln wie Nudeln, Reis und Getreide.

Bienenwachstücher bieten eine nachhaltige Alternative zu Plastikfolie, perfekt zum Einpacken von Brot, Käse, Obst und Gemüse. Hergestellt aus Baumwolle, die mit Bienenwachs, Baumharz und Jojobaöl beschichtet ist, bieten sie natürliche antibakterielle Eigenschaften. Durch die Wärme der Hände formbar erzeugen sie eine luftdichte Versiegelung, die die Frische von Lebensmitteln bewahrt. Sie sind waschbar und bei sorgfältiger Pflege über Monate hinweg wiederverwendbar.

Einfrieren ist eine effiziente Methode, um die Haltbarkeit von Lebensmitteln zu verlängern und Verschwendung zu vermeiden. Viele Nahrungsmittel, von Brot bis zu fertigen Gerichten, können problemlos eingefroren und später aufgetaut werden. Dies verringert nicht nur Lebensmittelabfälle, sondern erleichtert auch die Planung von Mahlzeiten und spart Zeit.

Eine sachkundige Lagerung erfordert gewisses Knowhow und Planung, aber die Vorteile sind unübersehbar. Indem du Lebensmittel effektiv lagerst, verlängerst du ihre Haltbarkeit, verminderst die Nutzung von

Einwegverpackungen und förderst einen nachhaltigeren Haushalt. Zudem begünstigt eine gut organisierte und bewusst ausgestattete Küche eine gesunde Ernährungsweise und macht das Kochen zu einem angenehmeren und stressfreien Erlebnis.

Zero Waste Kochen

Zero Waste Kochen und die Zubereitung von Mahlzeiten ohne Abfall zu erzeugen sind nicht nur praktikable, sondern auch kreative Ansätze, um den eigenen ökologischen Fußabdruck zu minimieren. Diese Methode fordert uns heraus, über traditionelle Kochgewohnheiten hinauszudenken und Mahlzeiten so zu planen, dass sie möglichst wenig bis gar keinen Abfall produzieren. Ein solches Vorgehen verlangt eine bewusste Auseinandersetzung mit den Lebensmitteln, die wir verwenden, und wie wir sie verwenden.

Die Planung von Mahlzeiten spielt eine entscheidende Rolle beim Zero Waste Kochen. Indem wir Mahlzeiten im Voraus planen, können wir den Kauf unnötiger Lebensmittel vermeiden und sicherstellen, dass wir alles, was wir kaufen, auch tatsächlich verwenden. Dies beinhaltet die Berücksichtigung, wie verschiedene Teile eines Lebensmittels – unter anderem Stiele, Schalen und Kerne – in Rezepten genutzt werden können, anstatt sie wegzuwerfen. Eine solche Herangehensweise fördert nicht nur Kreativität in der Küche, sondern trägt auch dazu bei, die Menge an Lebensmittelabfällen erheblich zu reduzieren.

Die Verwendung aller Teile eines Lebensmittels ist ein weiterer zentraler Aspekt des Zero Waste Kochens. Viele Teile von Gemüse und Obst, die oft als Abfall angesehen werden, wie Brokkolistiele, Karottenschalen oder das Grüne von Lauch, sind tatsächlich essbar und können verwendet werden, um Suppen, Brühen oder andere Gerichte zu bereichern. Diese Praxis erweitert nicht nur unseren kulinarischen Horizont, sondern hilft auch, den Nährwert unserer Mahlzeiten zu maximieren.

Die Entdeckung und Anwendung von Rezepten, die speziell darauf ausgerichtet sind, Lebensmittelabfälle zu minimieren, ist ein weiterer wesentlicher Schritt. Es gibt zahlreiche Ressourcen und Kochbücher, die sich dem Thema widmen und Anleitungen bieten, wie man Reste kreativ wiederverwerten kann. Von der Zubereitung von Gemüsechips aus Schalen bis hin zur Herstellung von Pesto aus Gemüsegrün – die Möglichkeiten sind nahezu unbegrenzt und bieten eine hervorragende Gelegenheit, neue Geschmäcker und Gerichte zu entdecken.

Das Kochen ohne Abfall zu produzieren, erfordert zwar eine gewisse Einstellung und Vorbereitung, doch die Vorteile sind vielfältig. Es fördert nicht nur einen nachhaltigeren Lebensstil, sondern auch ein tieferes

Bewusstsein und Wertschätzung für die Lebensmittel, die wir konsumieren. Indem wir uns bemühen, Lebensmittelabfälle zu reduzieren und Reste kreativ zu nutzen, leisten wir einen wertvollen Beitrag zum Umweltschutz und können gleichzeitig die Freude am Kochen neu entdecken.

Zero-Waste-Tipps für die Küche

Gemüseabfälle: Bewahre Gemüseschalen und -enden auf, um eine nährstoffreiche Gemüsebrühe zu kochen. Dies ist eine einfache Methode, um Geschmack aus Abfällen zu gewinnen, die sonst im Müll landen würden.

Kräuterstiele: Nicht nur die Blätter, sondern auch die Stiele von Kräutern wie Petersilie und Basilikum sind voller Aroma. Fein gehackt bereichern sie Suppen und Soßen mit zusätzlichem Geschmack.

Eierschalen: Zerkleinerte Eierschalen sind ein ausgezeichneter, nährstoffreicher Zusatz für die Pflanzenerde. Sie liefern Kalzium, das das Wachstum und die Gesundheit der Pflanzen unterstützt.

Zitronenschalen: Trockne nicht verwendete Zitronenschalen, um sie als natürliches Reinigungsmittel oder zur Aromatisierung von Getränken und Speisen zu nutzen.

Zero-Waste-Lifestyle

Kaffeesatz: Verwende Kaffeesatz als natürlichen Dünger für Pflanzen, als Peeling für die Haut oder trockne ihn für die Geruchsbeseitigung im Kühlschrank.

Kartoffelschalen: Backe sie zu knusprigen Chips oder nutze sie als Zutat in Brühen und Suppen.

Altes Brot: Verarbeite es zu Croûtons, Paniermehl oder einem herzhaften Brotpudding.

Käsereste: Hartkäse kann gerieben und eingefroren, Weichkäse zu Aufstrichen oder in Aufläufen verwendet werden.

Überreifes Obst: Ideal für Smoothies, Kompott oder Marmeladen. Aus Fruchtschalen und -kernen lässt sich hausgemachter Essig oder Schnaps herstellen.

Fischgräten und Meeresfrüchteschalen: Köchle sie zu einer schmackhaften Fischbrühe, die als Grundlage für Suppen und Soßen dient.

Apfel- und Birnenkerne: Nutze sie zur Herstellung von aromatischem Öl für Salate und Desserts.

Fleischreste und Knochen: Bereite herzhafte Brühen oder Fonds für Suppen, Eintöpfe und Risottos zu.

Überreife Bananen: Perfekt für Bananenbrot, Smoothies oder Pancakes.

<u>Kochwasser von Kartoffeln:</u> Verwende das Kochwasser von Kartoffeln als Bindemittel für Suppen und Soßen, um eine cremige Konsistenz zu erzielen und das spart zudem Wasser.

Indem du diese kreativen Methoden anwendest, um Lebensmittelreste zu nutzen, förderst du nicht nur den Umweltschutz, sondern bereicherst auch deine kulinarischen Erlebnisse, während du gleichzeitig Lebensmittelkosten einsparst.

Kompostierung von Küchenabfällen

Die Kompostierung von Küchenabfällen bietet eine ausgezeichnete Möglichkeit, den natürlichen Kreislauf zu unterstützen und unseren ökologischen Fußabdruck zu reduzieren. Selbst in der am sorgfältigsten geführten Zero-Waste-Küche fallen organische Reste wie Gemüseschalen, Kaffeesatz oder Eierschalen an. Diese sollten nicht einfach als Abfall angesehen werden, sondern können zu nährstoffreichem Kompost verarbeitet werden. Dieser Kompost bereichert den Boden und fördert das Pflanzenwachstum. Hier einige einfache Schritte, um mit der Kompostierung in der Küche zu beginnen:

Auswahl eines Kompostbehälters

Für Ihre Küche ist die Auswahl eines passenden Kompostbehälters mit Deckel essenziell, um Gerüche zu minimieren und Ungeziefer fernzuhalten. Ein idealer

Behälter zeichnet sich durch einfache Handhabung aus und passt harmonisch in Ihre Küchenumgebung. Dies erleichtert die problemlose Sammlung von organischen Küchenabfällen wie Gemüsereste und Kaffeesatz. Hier eine kleine Auswahl von Herstellern für Kompostbehälter für die Küche:

OXO Good Grips - Bekannt für ihre benutzerfreundlichen Küchenutensilien, bietet OXO auch Kompostbehälter an, die speziell für die Küche konzipiert sind und sich durch einfache Reinigung und Handhabung auszeichnen.

Joseph Joseph - Diese Marke ist für innovative Küchenprodukte bekannt und bietet Kompostbehälter, die oft durch cleveres Design und Funktionalität überzeugen.

Brabantia - Brabantia stellt eine Reihe von langlebigen Haushaltsprodukten her, darunter auch Kompostbehälter mit Fokus auf Design und Benutzerfreundlichkeit.

Full Circle - Diese Marke konzentriert sich auf umweltfreundliche Haushaltsprodukte und bietet Kompostbehälter, die sowohl praktisch als auch nachhaltig sind.

Simplehuman - Bekannt für ihre hochwertigen Mülleimer und Recycling-Lösungen, bietet Simplehuman auch Kompostbehälter an, die für ihre Robustheit und Designqualität geschätzt werden.

Kompost richtig lagern und pflegen

Um den Kompostprozess in deiner Küche zu optimieren, positioniere den Kompostbehälter an einem leicht zugänglichen Ort. So vereinfachst du die regelmäßige Entsorgung organischer Küchenabfälle. Eine gute Belüftung des Behälters ist entscheidend, und das gelegentliche Umrühren des Komposts verbessert die Zersetzung. Diese Schritte beschleunigen nicht nur den Kompostierungsprozess, sondern minimieren auch die Bildung unangenehmer Gerüche.

Für eine effektive Kompostierung ist ein Gleichgewicht zwischen stickstoffreichen „grünen" Materialien, wie Küchenabfällen und Gemüseschalen, und kohlenstoffreichen „braunen" Materialien, wie trockenen Blättern oder zerkleinertem Papier, wesentlich. Ein ausgewogenes Verhältnis fördert den Zersetzungsprozess und hält Gerüche in Schach.

Weitere wichtige Optimierungen:

Regelmäßige Feuchtigkeitskontrolle: Der Kompost sollte feucht, aber nicht nass sein, um den Luftaustausch nicht zu behindern und Fäulnis zu vermeiden.

Kleinere Stücke: Zerkleinere Küchenabfälle vor dem Hinzufügen zum Kompost. Kleinere Stücke zersetzen sich schneller.

Temperaturüberwachung: Eine warme Umgebung fördert die Mikroorganismenaktivität. Überprüfe regelmäßig die Temperatur im Kompost, um optimale Bedingungen sicherzustellen.

Vermeidung schädlicher Stoffe: Vermeide es, Fleisch, Fisch, Milchprodukte und ölhaltige Lebensmittel zu kompostieren, um Schädlinge und Gerüche fernzuhalten. Verzichte auch auf kranke Pflanzenreste und Unkrautsamen, um die Ausbreitung von Krankheiten und Unkraut zu verhindern.

Durch diese Maßnahmen trägst du aktiv zu einem effizienteren Kompostierungsprozess bei und leistest einen wichtigen Beitrag zu einem nachhaltigeren Lebensstil.

Verwendung des fertigen Komposts

Sobald der Kompostierungsprozess abgeschlossen ist und du reifen Kompost hast, nutze ihn als nährstoffreichen Dünger für deine Zimmerpflanzen oder den Garten. Der fertige Kompost verbessert nicht nur die Bodenstruktur und fördert das Pflanzenwachstum, sondern schließt auch den Kreislauf der Nährstoffrückführung. Durch die Umwandlung von Küchenabfällen in wertvolle Ressourcen trägst du aktiv zum Umweltschutz bei.

Vorteile der Kompostierung

Die Kompostierung von Küchen- und Gartenabfällen bringt zahlreiche Vorteile mit sich, die über die einfache Reduzierung des Abfallaufkommens hinausgehen:

Reduzierung von Müll und Deponiebelastung: Kompostierung verringert die Menge organischer Abfälle in Deponien, was wiederum die Freisetzung von Methangas, einem potenten Treibhausgas, reduziert.

Verbesserung der Bodenqualität und Förderung des Pflanzenwachstums: Kompost liefert essenzielle Nährstoffe für Pflanzen, verbessert die Wasserretention und Belüftung des Bodens und unterstützt eine gesunde Ernte.

Förderung der Biodiversität: Ein kompostreicher Boden bietet ein lebendiges Habitat für eine Vielzahl von Mikroorganismen, was zur allgemeinen Gesundheit des Ökosystems beiträgt.

Ressourceneffizienz und nachhaltige Lebensweise: Die Umwandlung organischer Abfälle in Kompost praktiziert Kreislaufwirtschaft und fördert ein nachhaltigeres Lebensmodell.

Wirtschaftliche Vorteile: Selbst hergestellter Kompost bietet eine kostengünstige Alternative zu kommerziellem Dünger und kann zu Einsparungen in der Abfallentsorgung führen.

Indem du kompostierst, gehst du verantwortungsvoll mit unseren Ressourcen um. Gleichzeitig leistest du einen praktischen Beitrag zum Schutz unserer Umwelt.

Wasser sparen in der Küche

Das Einsparen von Wasser in der Küche ist ein zentraler Bestandteil des Zero-Waste-Lifestyle, der nicht nur die Umwelt schützt, sondern auch hilft, die Haushaltskosten zu senken. In einer Zeit, in der die globale Wasserversorgung vor immer größeren Herausforderungen steht, ist ein bewusster Umgang mit dieser lebenswichtigen Ressource entscheidender denn je. Die Küche, als einer der Hauptverbraucher von Wasser im Haushalt, bietet viele Ansätze, um den Wasserverbrauch effizient zu gestalten und Verschwendung zu minimieren. Im Folgenden finden sich einige praktische Tipps, wie Wasser in der Küche gespart werden kann:

Wasser sparen beim Geschirrwaschen

Beim Geschirrspülen lässt sich eine erhebliche Menge Wasser einsparen, indem man auf das Abspülen unter fließendem Wasser verzichtet und stattdessen eine Spülschüssel nutzt. Bei besonders hartnäckigen Verschmutzungen ist es ratsam, das Geschirr vorher einzuweichen, anstatt kontinuierlich Wasser zu verbrauchen, um die

Reste zu entfernen. Zudem sind moderne Geschirrspüler oft darauf ausgelegt, Wasser effizient zu nutzen und können, wenn sie voll beladen sind, sogar weniger Wasser verbrauchen als die Handwäsche.

Wiederverwendung von Kochwasser

Das Wasser, in dem du Gemüse oder Pasta gekocht hast, ist viel zu schade zum Wegschütten. Es bietet eine hervorragende Grundlage für Suppen oder Soßen und bereichert diese mit zusätzlichen Aromen. Wenn das Kochwasser abgekühlt ist und kein Salz enthält, eignet es sich auch ausgezeichnet zur Bewässerung von Zimmerpflanzen.

Installation von wassersparenden Armaturen

Der Einbau von wassersparenden Armaturen oder Perlatoren in der Küche ist eine effektive Maßnahme, um den Wasserfluss zu reduzieren, ohne dabei die Nutzungseffizienz zu beeinträchtigen. Diese cleveren Vorrichtungen fügen dem Wasserstrahl Luft hinzu, wodurch das Volumen vergrößert wird, während der tatsächliche Wasserverbrauch deutlich reduziert wird.

Bewusstes Verhalten beim Trinkwasser

Statt den Wasserhahn laufen zu lassen, bis kaltes Trinkwasser fließt, ist es eine gute Idee, Wasser in Flaschen oder Krügen im Kühlschrank zu lagern. Auf diese Weise steht jederzeit frisches, kühles Wasser bereit, ohne unnötig Wasser zu vergeuden.

Leckagen rechtzeitig erkennen

Ein tropfender Wasserhahn oder undichte Verbindungen können im Laufe der Zeit zu einem erheblichen Wasserverlust führen. Es ist daher entscheidend, solche Probleme frühzeitig zu erkennen und umgehend zu beheben, um unnötigen Wasserverbrauch zu verhindern.

Durch die Beachtung dieser einfachen Maßnahmen kann jeder von uns dazu beitragen, den Wasserverbrauch in der Küche zu senken und somit einen wesentlichen Beitrag zum Umweltschutz und zur Förderung der Nachhaltigkeit zu leisten. Wasser ist eine essenzielle, jedoch begrenzte Ressource. Ein bewusster Umgang mit Wasser im Alltag hilft, diese kostbare Ressource für kommende Generationen zu schützen.

DIY-Projekte für die Küche

DIY-Projekte (Do-It-Yourself) für die Küche sind eine großartige Möglichkeit, den Zero-Waste-Lifestyle zu fördern und gleichzeitig Kreativität sowie persönlichen Ausdruck in den Alltag zu integrieren. Indem du deine eigenen Küchenutensilien herstellst, Reinigungsmittel mischst oder Lebensmittel selbst konservierst, trägst du aktiv zur Müllreduzierung bei und minimierst deinen ökologischen Fußabdruck. Diese Projekte bieten nicht nur die Chance, individuelle Bedürfnisse genau anzusprechen, sondern auch die Zufriedenheit und das Bewusstsein zu steigern, die mit der Herstellung eigener Produkte einhergehen.

Wiederverwendbare Küchenutensilien

Statt auf Einwegprodukte zurückzugreifen, kannst du wiederverwendbare Küchenutensilien wie Stoffservietten, Geschirrtücher oder Beutel für den Einkauf von Obst und Gemüse selbst herstellen. Alte Textilien eignen sich als Material und lassen sich mit etwas Nähgeschick in nützliche Helfer für den Alltag umwandeln. Dies reduziert nicht nur Abfall, sondern ermöglicht auch die Personalisierung deiner Küchenausstattung. Hier eine kleine Auswahl von Herstellern für Mehrweg-Küchenutensilien:

Bee's Wrap - Sie bieten wiederverwendbare Bienenwachstücher an, die eine umweltfreundliche Alternative zu Frischhaltefolie darstellen.

Stasher - Stasher produziert wiederverwendbare Silikonbeutel, die zum Aufbewahren von Lebensmitteln verwendet werden können und dabei helfen, Plastikmüll zu reduzieren.

EcoVibe - EcoVibe stellt eine Vielzahl von nachhaltigen Küchenutensilien her, darunter Bambusgeschirr, Edelstahlstrohhalme und Wiederverwendungssäcke.

Baggu - Baggu bietet wiederverwendbare Einkaufsta-schen an, die aus strapazierfähigem Nylon oder recycel-tem Baumwoll-Canvas hergestellt sind und ideal für den Lebensmitteleinkauf sind.

Life Without Plastic - Dieser Hersteller bietet eine breite Palette von plastikfreien Küchenutensilien an, darunter Edelstahlbehälter, Glasflaschen und Bambusgeschirr.

Natürliche Reinigungsmittel

Chemische Reinigungsmittel sind oft in Plastik verpackt und enthalten Substanzen, die der Umwelt schaden können. Eine umweltfreundliche Alternative ist die Herstellung eigener Reinigungsmittel aus natürlichen Zutaten wie Essig, Backpulver und Zitronensaft. Diese Inhaltsstoffe sind effektiv bei der Bekämpfung von Schmutz und Bakterien und schonen gleichzeitig Umwelt und Gesundheit. Umweltfreundliche Reinigungs-mittel, die du selbst herstellen kannst, bieten eine nach-haltige Alternative zu herkömmlichen Produkten, die oft schädliche Chemikalien enthalten und in Plastik ver-packt sind. Hier sind einfache Rezepte für die Herstel-lung von umweltfreundlichem Reinigungsmittel:

Allzweckreiniger:

• Mische 1 Teil Wasser mit 1 Teil Essig in einer Sprühflasche.

- Füge einige Tropfen ätherisches Öl (z.B. Zitrone oder Lavendel) hinzu, um einen angenehmen Duft zu erzielen.

- Dieser Allzweckreiniger eignet sich gut für die Reinigung von Oberflächen in der Küche und im Bad.

Fensterreiniger:
- Mische 2 Teile Wasser mit 1 Teil Essig und einem Spritzer Zitronensaft in einer Sprühflasche.

- Verwende diese Lösung, um Fenster und Spiegel zu reinigen. Trockne sie dann mit einem sauberen Tuch oder Zeitungspapier ab.

Abflussreiniger:
- Mische eine halbe Tasse Backpulver mit einer halben Tasse Essig.

- Gieße die Mischung in den Abfluss, lasse sie etwa 30 Minuten einwirken und spüle dann mit heißem Wasser nach. Dies hilft, Verstopfungen zu lösen und unangenehme Gerüche zu beseitigen.

Sanitärreiniger:
- Vermische 1 Teil Backpulver mit 1 Teil Wasser, um eine Paste zu bilden.

- Trage die Paste auf Oberflächen wie Toiletten, Waschbecken oder Badewannen auf und lass sie einige Minuten einwirken, bevor du sie mit einem Schwamm abwischst und abspülst.

Holzoberflächenreiniger:

- Mische 1 Teil Olivenöl mit 1 Teil Zitronensaft in einer Sprühflasche.

- Sprühe die Mischung auf Holzoberflächen wie Möbel oder Arbeitsplatten und reibe sie mit einem sauberen Tuch ein, um sie zu reinigen und zu pflegen.

Diese Rezepte sind einfach herzustellen, umweltfreundlich und effektiv bei der Reinigung verschiedener Oberflächen im Haushalt.

Natürliche Reinigungsmittel bieten zwar viele Vorteile, aber es ist wichtig zu beachten, dass sie dennoch potenzielle Gefahren bergen können. Daher ist es ratsam, darauf hinzuweisen, dass selbst hergestellte Reinigungsmittel nicht in die Augen oder auf die Haut gelangen dürfen. Außerdem ist es sinnvoll, die Reinigungsmittel vor dem Gebrauch an einer unauffälligen Stelle zu testen, um sicherzustellen, dass keine unerwünschten Reaktionen auftreten.

Zero-Waste-Lifestyle

Selbstgemachte Lebensmittelkonservierung

Das Einmachen von Obst und Gemüse, das Fermentieren von Lebensmitteln oder das Trocknen von Kräutern sind traditionelle Methoden der Lebensmittelkonservierung, die eine Renaissance erleben. Diese Techniken ermöglichen es, saisonale Lebensmittel zu bewahren und ganzjährig zu genießen, ohne auf industriell verarbeitete Produkte zurückgreifen zu müssen. Gleichzeitig wird die Abhängigkeit von Verpackungsmaterialien reduziert. Es ist jedoch wichtig zu beachten, dass bei der Herstellung von selbst gemachten Lebensmittelkonserven hygienische Standards eingehalten werden müssen, um eine sichere Lagerung und Verzehrbarkeit zu gewährleisten. Workshops oder Online-Tutorials können den Einstieg erleichtern und inspirieren, eigene Rezepte zu entwickeln. Hier ein paar Anregungen zu Workshops und Online-Tutorials:

Workshop: Einmachen und Einkochen für Anfänger
Dieser Workshop wird oft von lokalen Gärtnereien, Bauernmärkten oder Kochschulen angeboten und deckt grundlegende Techniken des Einmachens und Einkochens ab, um saisonales Obst und Gemüse zu konservieren.

Online-Kurs: Fermentation für Einsteiger
Plattformen wie Udemy oder Coursera bieten Online-Kurse an, die sich speziell dem Thema Fermentation

widmen. Diese Kurse vermitteln grundlegende Kenntnisse über die Fermentation von Lebensmitteln wie Sauerkraut, Kimchi und fermentierten Getränken.

Workshop: Kräuter trocknen und richtig lagern
In diesem Workshop lernst du, wie du Kräuter richtig trocknest und lagerst, um ihre Aromen und gesundheitlichen Vorteile zu erhalten. Solche Workshops werden oft von Kräutergärtnereien oder Kochschulen angeboten.

Online-Tutorial: Einmachen von Marmeladen und Chutneys
Auf YouTube und anderen Video-Plattformen findest du zahlreiche Tutorials, die Schritt-für-Schritt-Anleitungen zum Einmachen von Marmeladen, Chutneys und Gelees bieten. Diese Videos sind oft leicht verständlich und zeigen praktische Tipps und Tricks.

Workshop: Fermentierte Getränke selbst herstellen
In diesem Workshop lernst du, wie du fermentierte Getränke wie Kombucha, Wasserkefir oder Ginger Beer zu Hause herstellst. Solche Workshops werden von lokalen Brauereien, Gesundheitsläden oder fermentationsbegeisterten Gemeinschaften angeboten.

Upcycling und Reparatur
Bevor du defekte Küchenutensilien oder -geräte entsorgst, solltest du darüber nachdenken, ob eine

Reparatur oder ein Upcycling möglich ist. Mit etwas Kreativität und handwerklichem Geschick lassen sich viele Gegenstände wieder instand setzen oder für einen neuen Zweck umgestalten. Dies stärkt nicht nur die Langlebigkeit von Produkten, sondern fördert auch einen bewussteren Umgang mit Ressourcen.

Indem wir DIY-Projekte in der Küche umsetzen, übernehmen wir eine aktive Rolle im Umweltschutz und fördern gleichzeitig eine nachhaltige und erfüllende Lebensweise. Diese Projekte ermöglichen, unseren eigenen Konsum kritisch zu hinterfragen, unsere Fähigkeiten zu erweitern und den Wert handgefertigter Produkte neu zu schätzen. Hier sind Firmen, die sich auf Reparatur und Upcycling spezialisiert haben:

The Repair Café Foundation - Diese gemeinnützige Organisation unterstützt lokale Repair Cafés auf der ganzen Welt, in denen Menschen zusammenkommen, um gemeinsam defekte Gegenstände zu reparieren und Fähigkeiten auszutauschen.

Patagonia Worn Wear - Patagonia ist bekannt für seine nachhaltige Outdoor-Bekleidung und betreibt das Worn Wear Programm, das Reparaturdienstleistungen für ihre Produkte anbietet und gebrauchte Kleidung kauft, um sie zu reparieren und erneut zu verkaufen.

Zero-Waste-Lifestyle

The Renewal Workshop - Dieses Unternehmen arbeitet mit Bekleidungsmarken zusammen, um Rücksendungen und Produkte mit kleinen Mängeln zu reparieren, aufzuarbeiten und wieder in den Verkauf zu bringen, anstatt sie zu entsorgen.

iFixit - iFixit ist eine Online-Plattform, die Reparaturanleitungen, Ersatzteile und Werkzeuge für eine Vielzahl von elektronischen Geräten und Haushaltsgegenständen bereitstellt, um Menschen dabei zu unterstützen, ihre eigenen Reparaturen durchzuführen.

TerraCycle - TerraCycle bietet Programme zur Sammlung und Wiederverwertung von schwer recycelbaren Abfällen an, darunter auch Upcycling-Initiativen, bei denen aus alten Materialien neue Produkte hergestellt werden.

Diese Unternehmen sind führend in ihren jeweiligen Bereichen und setzen sich aktiv für Reparatur und Upcycling ein, um eine nachhaltigere Nutzung von Ressourcen zu fördern.

Nachhaltige Küchengeräte

Die Auswahl nachhaltiger Küchengeräte ist ein bedeutender Schritt hin zu einer umweltbewussten und energieeffizienten Küche. Diese Geräte sind darauf ausgelegt, den Energieverbrauch zu senken, Betriebskosten zu reduzieren und die Lebensdauer des Produkts zu verlängern, wodurch Abfall vermieden wird. Bei der Auswahl neuer Küchengeräte sollten verschiedene Kriterien berücksichtigt werden:

Energieeffizienz

Küchengeräte mit einer hohen Energieeffizienz tragen zur Senkung der CO_2-Emissionen und der Haushaltskosten bei. Achten Sie auf das Energieeffizienzlabel und bevorzugen Sie Produkte mit der Bewertung A. Seit dem 01. März 2021 gelten in Deutschland die Energieeffizienzklassen: A bis G (A = niedriger Energieverbrauch; G = hoher Energieverbrauch; Quelle: Umweltbundesamt 2022)

Langlebigkeit und Reparierbarkeit

Nachhaltige Geräte sind robust und leicht zu reparieren. Hersteller, die Ersatzteile und Reparaturanleitungen bereitstellen, fördern eine nachhaltige Nutzung.

Verwendung recycelbarer Materialien

Die Verwendung von recycelbaren oder wiederverwerteten Materialien verringert den ökologischen Fußabdruck. Produkte, die am Ende ihrer Lebensdauer leicht recycelt werden können, tragen zu einer Kreislaufwirtschaft bei.

Wassereffizienz

Neben der Energieeffizienz ist auch die Wassereffizienz wichtig, insbesondere bei Geräten wie Geschirrspülern. Moderne Modelle sind darauf ausgelegt, mit weniger Wasser mehr zu leisten.

Vermeidung schädlicher Substanzen

Um schädliche Substanzen zu vermeiden, setzen nachhaltige Küchengeräte in ihrer Produktion und ihrem Betrieb auf den Verzicht von schädlichen Chemikalien. Dies schützt sowohl die Umwelt als auch deine Gesundheit.

Der Einsatz nachhaltiger Küchengeräte bringt viele Vorteile mit sich: Sie reduzieren den Energie- und Wasserverbrauch, fördern eine gesündere Wohn- und Lebensumwelt und ermöglichen langfristige Kosteneinsparungen. Wenn du dich für nachhaltige Produkte entscheidest, setzt du ein starkes Zeichen für den Umweltschutz und unterstützt die Entwicklung grüner Technologien.

Es ist wichtig, die Küche nicht nur als Kochstätte, sondern auch als Zentrum umweltbewussten Handelns zu sehen. Die Entscheidung für nachhaltige Küchengeräte leistet einen Beitrag zu einer nachhaltigeren Gesellschaft und hilft, unseren ökologischen Fußabdruck zu verringern.

Zero Waste im Badezimmer

Das Badezimmer bietet zahlreiche Möglichkeiten, den eigenen ökologischen Fußabdruck zu verringern, indem man Einwegprodukte und Plastikverpackungen durch nachhaltigere Alternativen ersetzt. Durch die Umstellung auf nachhaltigere Alternativen kannst du einen signifikanten Beitrag zur Reduzierung deines Abfalls leisten und gleichzeitig ein Bewusstsein für die Auswirkungen deines Konsumverhaltens entwickeln. Jede kleine Änderung zählt und bringt uns dem Ziel eines Zero-Waste-Lifestyle näher.

DIY-Kosmetik und DIY-Pflegeprodukte

Die Eigenherstellung von Kosmetik- und Pflegeprodukten trägt maßgeblich zu einem Zero-Waste-Badezimmer bei. Mit diesen DIY-Methoden reduzierst du nicht nur unnötige Plastikverpackungen, sondern erhältst auch vollständige Kontrolle über die Inhaltsstoffe, die du auf deine Haut aufträgst. Die Wahl von natürlichen und unverarbeiteten Zutaten ermöglicht es dir, den Kontakt mit schädlichen Chemikalien zu minimieren. Solche Chemikalien, die oft in kommerziellen Produkten vorkommen, beeinträchtigen sowohl deine Gesundheit als auch die Umwelt.

Einfache, natürliche Zutaten für DIY-Produkte:

<u>Kokosöl:</u> Bekannt für seine feuchtigkeitsspendenden Eigenschaften, ideal für Lotionen, Deodorants und Lippenbalsame.

<u>Sheabutter:</u> Reich an Vitaminen und Fettsäuren, hervorragend für trockene Haut.

<u>Bienenwachs:</u> Bietet eine natürliche Konservierung und verleiht Produkten eine angenehme Textur.

<u>Ätherische Öle:</u> Ermöglichen individuelle Duftgestaltung und bieten therapeutische Vorteile.

Beispiel für ein DIY-Deodorant-Rezept:

Eine Mischung aus Kokosöl, Backpulver, Maisstärke und einigen Tropfen eines ätherischen Öls deiner Wahl kann eine effektive und natürliche Alternative zu herkömmlichen Deodorants bieten, ohne die Poren zu verstopfen.

Vorteile der DIY-Herstellung:

<u>Gesundheit und Sicherheit:</u> Vermeidung von schädlichen Chemikalien und Aluminiumsalzen.

<u>Personalisierung:</u> Produkte können genau auf den eigenen Hauttyp und persönliche Vorlieben abgestimmt werden.

<u>Kreativität und Spaß</u>: Die Herstellung eigener Produkte fördert kreative Entfaltung und kann als erfüllendes Hobby dienen.

<u>Bildung und Gemeinschaft</u>: Das Teilen dieser Aktivitäten mit Familie oder Freunden dient der Bildung über nachhaltige Lebensweisen.

Indem du eigene Kosmetik- und Pflegeprodukte herstellst, trägst du nicht nur zum Schutz deiner Gesundheit und der Umwelt bei, sondern genießt auch die Freiheit, Produkte zu kreieren, die perfekt zu deinen Bedürfnissen passen.

Die Wichtigkeit von Naturkosmetik

Die Wahl von Naturkosmetik spielt eine zentrale Rolle für einen umwelt- und gesundheitsbewussten Lebensweg. Naturkosmetik, gekennzeichnet durch ihre natürlichen und häufig bio-zertifizierten Inhaltsstoffe, passt hervorragend zum Zero-Waste-Ansatz. Sie leistet nicht nur einen Beitrag zur Verringerung deines ökologischen Fußabdrucks, sondern verbessert auch das Hautwohl und die Gesundheit. Der Umstieg von herkömmlichen Produkten, die oft synthetische Zusätze und Mikroplastik enthalten, auf Naturkosmetik fördert einen verantwortungsvolleren Umgang mit der Umwelt und eine nachhaltigere Körperpflege.

Zero-Waste-Lifestyle

Vorteile von Naturkosmetik:

Gesundheitliche Vorteile: Naturkosmetik minimiert das Risiko von Hautirritationen und Allergien, die durch synthetische Chemikalien verursacht werden können. Insbesondere für Menschen mit empfindlicher oder zu Allergien neigender Haut kann der Umstieg eine deutliche Verbesserung des Hautbildes bedeuten.

Umweltschutz: Produkte, die auf erneuerbaren Ressourcen basieren und ohne schädliche Pestizide hergestellt werden, schonen Wasser, Boden und Luft. Viele Naturkosmetikhersteller setzen zudem auf nachhaltige Verpackungen, um den Zero-Waste-Gedanken weiter zu fördern.

Transparenz und ethische Verantwortung: Die Wahl von Naturkosmetik fördert Fair-Trade-Prinzipien und unterstützt soziale Projekte in den Anbauregionen der Rohstoffe. Dies stärkt die ethische Verantwortung in der Kosmetikindustrie und ermöglicht es Verbrauchern, positive Veränderungen zu unterstützen.

Naturkosmetik geht über die reine Hautpflege hinaus und ist Teil einer Lebensweise, die Gesundheit, Umweltbewusstsein und soziale Verantwortung integriert. Durch die bewusste Entscheidung für Naturkosmetik tragen wir zum Schutz unserer Umwelt bei und unterstützen eine nachhaltige Zukunft.

Zero-Waste-Lifestyle

Hier sind zehn Hersteller, die für ihre nachhaltigen Naturkosmetikprodukte bekannt sind. Diese Unternehmen legen Wert auf die Verwendung natürlicher Inhaltsstoffe, Nachhaltigkeit in der Produktion und oft auch auf umweltfreundliche Verpackungen:

Dr. Hauschka: Bietet ein breites Sortiment an zertifizierter Naturkosmetik, die auf Heilpflanzen basiert und für ihre Wirksamkeit und Nachhaltigkeit bekannt ist.

Weleda: Einer der Pioniere in der Naturkosmetikbranche, bekannt für seine biodynamischen und wild gesammelten Inhaltsstoffe sowie für umweltfreundliche Praktiken.

Lavera: Bietet eine Vielzahl von zertifizierten Naturkosmetikprodukten an, die frei von synthetischen Konservierungsstoffen, Farbstoffen und Aromen sind.

Alverde: Die Naturkosmetikmarke von dm bietet eine breite Palette an Produkten, die auf natürlichen Inhaltsstoffen basieren und umweltbewusst hergestellt werden.

Annemarie Börlind: Produziert hochwertige Naturkosmetik, die auf wissenschaftlichen Erkenntnissen und nachhaltigen Rohstoffen basiert.

<u>Logona:</u> Bietet ein umfangreiches Sortiment an Naturkosmetikprodukten, die strenge ökologische Standards erfüllen.

<u>Sante:</u> Stellt Naturkosmetik her, die nicht nur die Haut, sondern auch die Umwelt schont, mit Produkten, die biologisch abbaubar und nachhaltig sind.

<u>Urtekram:</u> Aus Dänemark stammend, bekannt für seine biologischen Pflegeprodukte, die natürliche und einfache Zutaten verwenden.

<u>Burt's Bees:</u> Bietet natürliche Hautpflegeprodukte an, die auf der Kraft von Bienenwachs und anderen natürlichen Zutaten basieren, mit einem Fokus auf Umweltschutz.

<u>Eco Cosmetics:</u> Bietet ein breites Sortiment an zertifizierter Naturkosmetik mit dem Schwerpunkt auf Sonnenschutz und Hautpflege, hergestellt unter fairen und umweltfreundlichen Bedingungen.

Tipps für ein plastikfreies Badezimmer und nachhaltige Pflege

Ein plastikfreies Badezimmer einzurichten ist nicht nur eine Freude, sondern führt dich auch hin zu einem bewussteren Umgang mit der Umwelt. Hier sind einige Tipps und alternative Produkte, die dir helfen, Plastik zu vermeiden und zugleich Gesundheit sowie Umwelt zu schützen:

Bambuszahnbürsten: Eine großartige Alternative zu Plastikzahnbürsten. Bambus ist biologisch abbaubar und ein schnell nachwachsender Rohstoff.

Zahnpasta in Tablettenform oder Glasbehältern: Diese Optionen reduzieren Plastikmüll und sind oft frei von schädlichen Chemikalien.

Feste Shampoos und Conditioner: Verpackt in Papier oder ganz ohne Verpackung, bieten sie eine umwelt-schonende Alternative zu herkömmlichen Produkten in Plastikflaschen.

Haarseifen: Speziell für verschiedene Haartypen entwickelt, nutzen sie natürliche Inhaltsstoffe für eine sanfte Reinigung.

Offene Seifenschalen: Aus Keramik oder Holz, für feste Seifenstücke, um Plastikverpackungen zu vermeiden.

Nachfüllstationen: Sie ermöglichen es, eigene Behälter mit Shampoo, Conditioner und anderen Pflegeprodukten nachzufüllen, wodurch Einwegplastik reduziert wird.

<u>Selbstgemachte Pflegeprodukte:</u> Von Deodorants bis zu Gesichtsmasken, um Inhaltsstoffe zu kontrollieren und Verpackungsmüll zu minimieren.

<u>Abschminkpads und -tücher:</u> Tausche Einweg-Abschminktücher und Wattepads gegen wiederverwendbare Varianten aus Stoff. Diese können gewaschen und immer wieder benutzt werden.

<u>Wiederverwendbare Rasierer:</u> Mit Wechselklingen, um Wegwerfprodukte zu ersetzen.

<u>Natürliche Reiniger:</u> Essig, Backpulver und Zitronensäure sind kraftvolle, umweltfreundliche Reinigungsmittel, die effektiv Schmutz bekämpfen, ohne die Umwelt zu belasten.

<u>DIY-Reinigungsmittel:</u> Die Herstellung eigener Reinigungsprodukte ermöglicht die Kontrolle über Inhaltsstoffe und reduziert Plastikverpackungen.

Jede dieser Maßnahmen trägt dazu bei, den Alltag nachhaltiger zu gestalten, unseren ökologischen Fußabdruck zu verringern und ein gesünderes Leben zu führen. Nachhaltigkeit und Wohlbefinden gehen Hand in Hand, und jeder Einzelne hat die Macht, positive Veränderungen herbeizuführen. Indem wir bewusste Entscheidungen treffen und kreative Lösungen nutzen, können wir einen signifikanten Unterschied im Kampf gegen Plastikverschmutzung und für eine nachhaltigere Zukunft machen.

Hier sind zehn Hersteller, die für ihr Engagement für plastikfreie oder umweltfreundliche Badezimmerprodukte bekannt sind. Bitte beachte, dass Verfügbarkeit und Produktangebote je nach Region variieren können:

Lush: Bekannt für feste Shampoos, Conditioner und Seifen, die ohne Plastikverpackung auskommen.

Bamboo Toothbrush Bam&Boo: Bietet biologisch abbaubare Zahnbürsten aus Bambus an.

Georganics: Spezialisiert auf natürliche und plastikfreie Mundpflegeprodukte, wie Zahnpasta in Glasbehältern und Zahnseide.

Ethique: Stellt feste Schönheitsprodukte wie Shampoos, Conditioner und Gesichtsreiniger her, komplett plastikfrei verpackt.

Ben & Anna: Bietet eine Auswahl an natürlichen Deodorants in Papierverpackungen sowie Zahnputztabletten.

Hydrophil: Erzeugt nachhaltige Badezimmerprodukte wie Zahnbürsten aus Bambus und Wattestäbchen aus Bambus und Baumwolle.

Zero-Waste-Lifestyle

<u>Meow Meow Tweet:</u> Produziert vegane Pflegeprodukte, darunter Deodorants und Seifen in plastikfreier Verpackung.

<u>Zero Waste Path:</u> Bietet eine Vielzahl von festen Shampoos und anderen Pflegeprodukten an, die auf Nachhaltigkeit ausgerichtet sind.

<u>EcoRoots:</u> Hat ein breites Angebot an plastikfreien Badezimmerprodukten, einschließlich Rasierern, Seifen und Shampoobars.

<u>Package Free Shop:</u> Ein Online-Shop, der eine Vielzahl von Marken führt, die sich auf plastikfreie Produkte spezialisiert haben, von Badezimmerartikeln bis hin zu Haushaltswaren.

Beim Kauf von Produkten dieser Marken unterstützt du nicht nur umweltfreundliche Praktiken, sondern reduzierst auch aktiv deinen Plastikverbrauch.

Zero Waste im Haushalt

Mit praktischen Tipps und einfachen Maßnahmen kannst du die Müllreduzierung in deinem Haushalt mit wenig Aufwand erreichen. Beginne mit der Umstellung auf wiederverwendbare Produkte wie Stofftaschen, Glasbehälter und Bambuszahnbürsten. Vermeide Einwegplastik, indem du auf Mehrwegalternativen setzt und Lebensmittel unverpackt kaufst. Das Kompostieren organischer Abfälle und die bewusste Auswahl von Produkten mit minimaler oder ökologischer Verpackung tragen ebenfalls signifikant zur Verringerung deines Müllaufkommens bei. Jede kleine Änderung zählt und macht einen Unterschied für unseren Planeten.

Mülltrennung und Recycling richtig gemacht

Eine gewissenhafte Mülltrennung ist für ein effektives Recycling unerlässlich. Informiere dich über die Recycling-Vorschriften deiner Gemeinde, um Papier, Glas, Metall und Plastik korrekt zu trennen und zu entsorgen. Nutze auch spezielle Sammelstellen für Elektroschrott, Batterien und Sondermüll, um die Umwelt zu schützen und Ressourcen zu schonen.

Energie- und Wassersparen

Der sparsame Umgang mit Energie und Wasser ist ein wichtiger Schritt zur Reduzierung des

Ressourcenverbrauchs. Maßnahmen wie das Ausschalten von Stand-by-Geräten, der Einsatz von LED-Leuchten, programmierbare Thermostate, energieeffiziente Haushaltsgeräte und wassersparenden Duschköpfen können den Verbrauch deutlich senken.

Wasseraufbereitung zu Hause

Filtere Leitungswasser und bewahre es in wiederverwendbaren Flaschen auf, anstatt Flaschenwasser zu kaufen. Dies reduziert nicht nur Plastikmüll, sondern spart auch Geld. Wasseraufbereitungssysteme wie Tischfilter oder fest installierte Systeme verbessern die Wasserqualität und reduzieren den Bedarf an gekauftem Wasser. Hier sind fünf renommierte Produkte oder Hersteller, die Lösungen für die Wasseraufbereitung im Haushalt anbieten:

Brita: Brita ist einer der bekanntesten Hersteller von Wasserfiltern und bietet eine breite Palette von Produkten, darunter Tischwasserfilter, Filterkannen und Filterkartuschen, die Kalk, Chlor und andere Verunreinigungen aus dem Leitungswasser entfernen.

Berkey: Berkey Wasserfilter sind hochleistungsfähige Schwerkraftfiltersysteme, die eine breite Palette von Kontaminanten filtern können, darunter Bakterien, Viren und Schwermetalle, ohne dass Strom oder Wasserdruck benötigt wird.

Zero-Waste-Lifestyle

AquaTru: AquaTru bietet Umkehrosmose-Wasserauf-
bereitungssysteme für den Hausgebrauch an, die eine
mehrstufige Filtration verwenden, um nahezu alle Verunreinigungen aus dem Leitungswasser zu entfernen,
einschließlich Fluorid, Blei und Chlor.

ZeroWater: ZeroWater bietet Wasserfilterkannen und -
systeme mit einem 5-Stufen-Filtrationsprozess, der darauf ausgelegt ist, gelöste Feststoffe und andere Verunreinigungen aus dem Wasser zu entfernen. Ihre Filterkannen kommen mit einem digitalen TDS-Meter (Total
Dissolved Solids), um die Wasserqualität zu messen.

PUR: PUR ist bekannt für seine Wasserfiltrationssys-
teme, darunter Wasserhahnfilter und Filterkannen, die
Verunreinigungen wie Blei, Quecksilber und bestimmte
Pestizide reduzieren. PUR legt einen starken Fokus auf
die Verbesserung des Geschmacks und der Qualität des
Leitungswassers.

Diese Hersteller bieten fortschrittliche Technologien
und Lösungen für die Wasseraufbereitung, die es Haus-
halten ermöglichen, sauberes und sicheres Trinkwasser
direkt aus dem Leitungswasser zu gewinnen, wodurch
der Verbrauch von Plastikflaschen reduziert und ein
Beitrag zum Umweltschutz geleistet wird.

Zero-Waste-Lifestyle

Upcycling von Möbeln und Haushaltsgegenständen

Bevor du alte Möbel oder Gegenstände entsorgst, überlege, ob sie sich für ein Upcycling-Projekt eignen. Mit Kreativität und Geschick können ausgediente Gegenstände zu neuen Schätzen werden, was Abfall reduziert und deinem Zuhause eine persönliche Note verleiht. Hier sind fünf Hersteller oder Marken, die sich auf Upcycling spezialisiert haben oder Produkte anbieten, die für Upcycling-Projekte geeignet sind:

Annie Sloan: Bekannt für ihre Chalk Paint™, eine spezielle Kreidefarbe, die für Möbel-Upcycling-Projekte verwendet wird. Annie Sloan bietet auch Workshops und Anleitungen zum Upcycling von Möbeln an, um alte Stücke in neue Schätze zu verwandeln.

Freitag: Ursprünglich bekannt für ihre Taschen, die aus recycelten Lkw-Planen hergestellt werden, bietet Freitag auch eine Reihe von Upcycling-Ideen und -Produkten an. Sie demonstrieren, wie Materialien, die sonst im Abfall landen würden, in hochwertige und langlebige Produkte umgewandelt werden können.

Reclaimed Relics: Spezialisiert auf die Wiederherstellung und das Upcycling von antiken und vintage Möbeln. Reclaimed Relics findet alte Stücke und gibt ihnen durch kreative Restaurierung und Neugestaltung ein zweites Leben.

Etsy: Eine Online-Plattform, auf der unabhängige Künstler und Handwerker ihre upgecycelten Produkte und Kunstwerke verkaufen. Auf Etsy findest du eine breite Palette von upgecycelten Möbeln, Dekorationsartikeln und Haushaltsgegenständen, die aus gebrauchten Materialien hergestellt wurden.

Ikea Hackers: Eine Community-Webseite, die sich der Wiederverwendung und Modifikation von Ikea-Produkten widmet. Obwohl Ikea selbst kein Upcycling-Hersteller ist, inspiriert die Ikea Hackers-Community zu kreativen Projekten, bei denen bestehende Ikea-Produkte umgestaltet und personalisiert werden.

Diese Hersteller und Plattformen zeigen, wie vielfältig Upcycling sein kann – von der Umgestaltung alter Möbel bis hin zur Schaffung neuer Produkte aus recycelten Materialien. Upcycling fördert nicht nur die Kreativität, sondern trägt auch dazu bei, Abfall zu reduzieren und Ressourcen effizienter zu nutzen.

Natürliche Schädlingsbekämpfung

Natürliche Schädlingsbekämpfungsmittel bieten eine umweltfreundliche Alternative zu chemischen Pestiziden, indem sie Schädlinge auf sanfte Weise fernhalten, ohne die Gesundheit von Menschen, Haustieren oder

der Umwelt zu gefährden. Hier sind fünf natürliche Schädlingsbekämpfungsmittel, die effektiv und sicher sind:

Neemöl: Gewonnen aus den Samen des Neembaums, ist Neemöl ein wirksames natürliches Insektizid, das gegen eine Vielzahl von Schädlingen wie Blattläuse, Spinnmilben und Weiße Fliegen eingesetzt werden kann. Es wirkt, indem es den Lebenszyklus der Schädlinge stört und ist sicher für Bienen und andere nützliche Insekten.

Diatomeenerde: Besteht aus den fossilen Überresten von Mikroalgen und wirkt mechanisch, indem es die äußere Schutzschicht von Insekten wie Ameisen, Schnecken und Käfern beschädigt, was zu deren Austrocknung führt. Diatomeenerde ist ungiftig für Menschen und Haustiere.

Pfefferminzöl: Ein natürliches Abschreckungsmittel, das besonders wirksam gegen Ameisen, Spinnen und Mäuse ist. Einige Tropfen Pfefferminzöl in Wasser verdünnt und in betroffenen Bereichen gesprüht, können Schädlinge effektiv fernhalten.

Knoblauchspray: Knoblauch ist bekannt für seine abstoßende Wirkung auf Insekten. Ein hausgemachtes Spray aus Knoblauch, Wasser und einem Tropfen Spülmittel kann auf Pflanzen angewendet werden, um Schädlinge wie Blattläuse und Käfer abzuwehren.

Essig: Eine Lösung aus Wasser und Essig kann als natürliches Herbizid gegen Unkraut eingesetzt werden und ist auch wirksam, um Ameisenstraßen zu unterbrechen. Essig sollte jedoch mit Vorsicht verwendet werden, da er auch Pflanzen schädigen kann, wenn er direkt auf sie aufgetragen wird.

Diese natürlichen Schädlingsbekämpfungsmittel sind nicht nur umweltfreundlich, sondern bieten auch eine gesunde Alternative zu chemischen Pestiziden, um deinen Garten und dein Zuhause schädlingsfrei zu halten.

Grüner Daumen

Ein eigener Garten oder Balkongarten reduziert den Bedarf an verpackten Lebensmitteln. Selbst angebautes Obst, Gemüse und Kräuter sind frisch, unverpackt und fördern eine nachhaltige Lebensweise.

Für alle, die ihren Garten oder Balkon mit umweltfreundlichen und nachhaltigen Produkten pflegen möchten, gibt es zahlreiche Hersteller, die solche Bedürfnisse erfüllen. Hier sind fünf Hersteller oder Marken, die sich auf Produkte für den grünen Daumen spezialisiert haben:

Gardena: Bietet ein breites Sortiment an Gartengeräten und -zubehör, darunter umweltfreundliche Bewässerungssysteme, die helfen, Wasser effizient zu nutzen.

Gardena setzt auch auf die Langlebigkeit seiner Produkte, um den Abfall zu minimieren.

Fiskars: Bekannt für ihre hochwertigen Gartenscheren und -werkzeuge, die aus recycelten Materialien hergestellt und so konzipiert sind, dass sie jahrelang halten. Fiskars engagiert sich für Nachhaltigkeit in der Produktion und bei den verwendeten Materialien.

Lechuza: Spezialisiert auf selbstbewässernde Pflanzgefäße, die nicht nur praktisch für den urbanen Gartenbau sind, sondern auch dazu beitragen, Wasser zu sparen. Ihre Produkte sind aus hochwertigen, recycelbaren Materialien gefertigt.

Bio Green: Bietet eine Reihe von umweltfreundlichen Gewächshäusern und Gartenprodukten an, darunter biologisch abbaubare Pflanztöpfe und natürliche Düngemittel. Bio Green legt Wert auf Produkte, die das ökologische Gärtnern unterstützen.

Neudorff: Ein Pionier in der Herstellung von ökologischen Pflanzenschutz- und Düngemitteln. Neudorff setzt auf natürliche Inhaltsstoffe, die sicher für Menschen, Tiere und die Umwelt sind, und bietet eine breite Palette an Produkten für den biologischen Anbau.

Zero-Waste-Lifestyle

Gemeinschaftliches Teilen und Tauschen

Beteilige dich an Gemeinschaftsprojekten zum Teilen und Tauschen von Ressourcen wie Werkzeugen, Büchern oder Kleidung. Das fördert den Gemeinschaftssinn und reduziert den Bedarf an neuen Produkten.

Indem du diese Schritte umsetzt, trägst du zu einer nachhaltigeren Zukunft bei und minimierst deinen ökologischen Fußabdruck. Jede kleine Veränderung zählt und macht einen Unterschied im Kampf gegen die Müllproblematik.

Gemeinschaftliches Teilen und Tauschen gewinnt als nachhaltige Praxis zunehmend an Bedeutung. Hier sind fünf Gemeinschaftsprojekte, die das Teilen und Tauschen von Ressourcen, Fähigkeiten und Zeit fördern:

Foodsharing: Eine Initiative, die sich gegen Lebensmittelverschwendung einsetzt, indem überschüssige Lebensmittel geteilt werden. Mitglieder der Community können Lebensmittel, die sie selbst nicht verbrauchen können, an andere Mitglieder oder soziale Einrichtungen weitergeben.

Repair Cafés: In diesen ehrenamtlich betriebenen Werkstätten können Menschen defekte Gegenstände, wie Elektrogeräte, Kleidung oder Möbel, gemeinsam reparieren, statt sie wegzuwerfen. Dies fördert nicht nur die

Langlebigkeit von Produkten, sondern auch den Wissensaustausch und die Gemeinschaft.

Büchertauschbörsen und öffentliche Bücherschränke: An vielen Orten gibt es öffentlich zugängliche Bücherschränke oder Tauschbörsen, wo Bücher kostenlos getauscht oder entnommen werden können. Dies fördert das Lesen und reduziert gleichzeitig die Notwendigkeit, neue Bücher zu kaufen.

Kleidertauschpartys und -märkte: Veranstaltungen, bei denen Menschen Kleidung und Accessoires tauschen können, die sie nicht mehr tragen. Dies reduziert den Bedarf an neuen Kleidungsstücken und fördert einen nachhaltigeren Konsum.

Gemeinschaftsgärten: In Gemeinschaftsgärten bauen Menschen gemeinsam Obst, Gemüse und Kräuter an. Dies fördert nicht nur den Zugang zu frischen, unverpackten Lebensmitteln, sondern stärkt auch den Gemeinschaftssinn und das Bewusstsein für ökologische Landwirtschaft.

Diese Projekte zeigen, wie durch gemeinschaftliches Handeln Ressourcen effizient genutzt, Abfall reduziert und soziale Bindungen gestärkt werden können. Sie bieten praktische Lösungen für die Herausforderungen einer konsumorientierten Gesellschaft und fördern gleichzeitig eine Kultur der Nachhaltigkeit und des Teilens.

Zero Waste und Mode

Die Modeindustrie ist einer der Hauptverursacher globaler Umweltverschmutzung und spielt eine entscheidende Rolle bei der Abfallproblematik. Ein Umdenken hin zu Zero Waste in der Mode ist deshalb nicht nur wünschenswert, sondern auch dringend erforderlich. Durch bewussten Konsum, die Förderung von Secondhand-Kleidung, das Reparieren und Upcycling von Modeartikeln sowie die Unterstützung nachhaltiger Modeunternehmen können wir aktiv dazu beitragen, die negativen Auswirkungen der Modeindustrie zu verringern. Diese Veränderungen im Konsumverhalten sind ein wichtiges Signal gegen die Wegwerfkultur und fördern ein neues Bewusstsein für die Bedeutung von Nachhaltigkeit in der Mode. Indem wir Verantwortung für unsere Kaufentscheidungen übernehmen und nachhaltigere Alternativen wählen, leisten wir einen wertvollen Beitrag zum Umweltschutz und zur Schaffung einer gerechteren Welt. Der Übergang zu einem Zero-Waste-Lifestyle in der Mode bietet die Chance, nicht nur unseren ökologischen Fußabdruck zu minimieren, sondern auch ein tieferes Verständnis für Qualität, Langlebigkeit und den wahren Wert unserer Kleidung zu entwickeln.

Bewusster Konsum

Bewusster Konsum in der Modeindustrie ist ein entscheidender Faktor im Kampf gegen Umweltverschmutzung und Ressourcenverschwendung. Angesichts der gravierenden Auswirkungen, die die Modebranche auf unseren Planeten hat, von der übermäßigen Wassernutzung bis zur Produktion von Treibhausgasen, wird die Notwendigkeit eines nachhaltigen Umgangs mit Mode immer dringlicher. Bewusster Konsum geht über die einfache Reduktion von Käufen hinaus; er ist ein umfassender Ansatz, der die Auswahl, Nutzung und Entsorgung von Kleidung umfasst, um einen positiven ökologischen und sozialen Einfluss zu erzielen.

Als bewusste Konsumenten hinterfragen wir vor jedem Kauf die Notwendigkeit eines neuen Kleidungsstücks, seine Herkunft, die Bedingungen seiner Herstellung und die Materialien, aus denen es besteht. Diese Überlegungen helfen, Impulskäufe zu vermeiden und die Menge an kaum getragenen Kleidungsstücken im Schrank signifikant zu reduzieren. Bewusster Konsum bedeutet auch, sich für vielseitig einsetzbare Kleidung aus hochwertigen, langlebigen Materialien zu entscheiden. Dies fördert nicht nur eine längere Nutzungsdauer, sondern unterstützt auch das Prinzip der Nachhaltigkeit.

Zero-Waste-Lifestyle

Weiterhin spielt die Wahl von Secondhand-Kleidung und die Teilnahme an Kleidertauschbörsen eine wichtige Rolle beim Fördern eines bewussten Konsums. Diese Praktiken tragen dazu bei, den Lebenszyklus von Kleidungsstücken zu verlängern, Ressourcen zu sparen und den Bedarf an neuer Kleidungsproduktion zu verringern. Sie bieten zudem die Chance, einzigartige Stücke zu entdecken, die den eigenen Stil bereichern und gleichzeitig die Umwelt schonen.

Bewusster Konsum beinhaltet auch die Pflege und Instandhaltung von Kleidung. Durch richtiges Waschen, Trocknen und Reparieren können wir die Nutzungsdauer von Kleidungsstücken verlängern, was letztlich zur Reduzierung von Abfall und zur Schonung der Umwelt beiträgt. Zudem ermutigt ein bewusster Umgang mit Mode dazu, nachhaltige Modeunternehmen zu unterstützen, die sich durch transparente Geschäftspraktiken, den Einsatz umweltfreundlicher Materialien und faire Arbeitsbedingungen auszeichnen.

Insgesamt ist bewusster Konsum in der Mode ein vielversprechender Weg, um persönliche und kollektive Auswirkungen auf die Umwelt zu minimieren. Indem wir als Konsumenten verantwortungsvolle Entscheidungen treffen, leisten wir einen bedeutenden Beitrag zum Umweltschutz und senden gleichzeitig ein starkes Signal an die Modeindustrie, dass Nachhaltigkeit und ethische Produktion Priorität haben sollten.

Secondhand und Tauschbörsen

Secondhand-Einkäufe und die Teilnahme an Tausch-börsen sind nachhaltige Praktiken, die im Rahmen des Zero-Waste-Ansatzes in der Mode eine bedeutende Rolle spielen. Sie bieten eine effektive Strategie, um die negativen Umweltauswirkungen der Modeindustrie zu bekämpfen, indem sie den Lebenszyklus von Klei-dungsstücken verlängern und die Notwendigkeit der Produktion neuer Ware reduzieren. Diese Ansätze sind nicht nur umweltfreundlich, sondern fördern auch be-wussteren Konsum und bieten eine ethische Alternative zum traditionellen Modekonsum.

Secondhand-Shopping ermöglicht die Wiederverwen-dung gebrauchter Kleidung und verringert so den Ab-fall, der durch das Wegwerfen von Mode entsteht. Durch den Kauf von Secondhand-Kleidung werden weniger Ressourcen für die Herstellung neuer Produkte benötigt, was den Wasser- und Energieverbrauch sowie die CO_2-Emissionen senkt. Secondhand-Läden, On-line-Plattformen und Flohmärkte bieten eine breite Pa-lette an qualitativ hochwertigen und einzigartigen Klei-dungsstücken, oft zu einem Bruchteil des Preises neuer Ware. Diese Vielfalt ermöglicht es Konsumenten, ihren persönlichen Stil zu entwickeln, ohne die Umwelt zu be-lasten.

Zero-Waste-Lifestyle

Tauschbörsen bieten eine weitere nachhaltige Lösung, indem sie den direkten Austausch von Kleidungsstücken zwischen Personen erleichtern. Diese Veranstaltungen fördern die Gemeinschaft und ermöglichen es Teilnehmern, ungenutzte Kleidung gegen Stücke zu tauschen, die sie wirklich tragen werden. Tauschbörsen verlängern die Lebensdauer von Kleidung und entlasten die Modeindustrie, indem sie den Bedarf an neuen Produkten verringern. Zudem schaffen sie ein Bewusstsein für den Wert und die Langlebigkeit von Kleidung und ermutigen zu einem verantwortungsbewussten Umgang mit Mode.

Sowohl Secondhand-Einkäufe als auch Tauschbörsen stellen eine Herausforderung für die Wegwerfkultur dar und zeigen, dass Mode nachhaltig und verantwortungsbewusst genossen werden kann. Diese Praktiken sind nicht nur gut für die Umwelt und die Geldbörse, sondern fördern auch ein kreatives und individuelles Modeverständnis. Durch die Unterstützung dieser nachhaltigen Alternativen kann jeder einen Beitrag zum Schutz der Umwelt leisten, die Verschwendung von Ressourcen reduzieren und aktiv an der Gestaltung einer nachhaltigeren Modezukunft mitwirken.

Hier ist eine Auswahl an Secondhand und Tauschbörsen, die dir ermöglichen, nachhaltig zu shoppen und gleichzeitig deinen persönlichen Stil zu erweitern:

Vinted - Eine beliebte Plattform für den Kauf, Verkauf oder Tausch von Kleidung, auch mit Optionen für Kindermode.

Shpock - Bietet eine Vielfalt von Artikeln, nicht nur Mode, und ist besonders in Großstädten aktiv.

Percentil - Spezialisiert auf hochwertige Kinderkleidung von Markenherstellern zum Kauf oder Tausch.

Kleinanzeigen - Eine weitverbreitete Plattform für den Kauf und Verkauf von nahezu allem, einschließlich Mode.

Regionale Gruppen auf Facebook - Diese Gruppen ermöglichen den lokalen Austausch und Verkauf von Kleidung.

momox und momox Fashion - Eine Website und App, die es ermöglicht, Kleidung zu verkaufen und nachhaltig zu shoppen.

Zalando Zircle - Ein Angebot von Zalando für den Kauf und Verkauf gebrauchter Kleidung.

Rebelle - Eine Online-Plattform für den Kauf und Verkauf von Designer-Secondhand-Mode.

Diese Plattformen bieten nicht nur nachhaltige Optionen für deinen Kleiderschrank, sondern auch die

Chance, einzigartige und qualitativ hochwertige Stücke zu entdecken, die deinem Stil eine persönliche Note verleihen.

Reparieren und Upcycling von Kleidung

Reparieren und Upcycling von Kleidung sind wesentliche Elemente eines nachhaltigen Modekonsums. Sie tragen maßgeblich dazu bei, die Menge an Textilabfällen zu verringern und die Umweltbelastung durch die Modeindustrie zu minimieren. Diese Praktiken erhöhen nicht nur die Lebensdauer von Kleidungsstücken, sondern bieten auch kreative Wege, individuelle und einzigartige Mode zu kreieren.

Das Reparieren von Kleidung ist eine essenzielle Fähigkeit, die die Nutzungsdauer von Kleidungsstücken signifikant verlängern kann. Ob es nun um das Stopfen eines Lochs, das Anbringen eines losen Knopfes oder das Ausbessern eines Risses geht, kleine Reparaturen lassen sich oft einfach zu Hause durchführen und bewahren Kleidung vor der vorzeitigen Entsorgung. Diese Praxis zeugt von einer Wertschätzung für die Ressourcen, die in die Herstellung jedes Kleidungsstücks fließen, und ist ein aktives Zeichen gegen die Wegwerfkultur in der Modeindustrie.

Upcycling entwickelt die Idee weiter, indem es aus „unbrauchbaren" Kleidungsstücken Neues und Wertvolles kreiert. Diese kreative Wiederverwendung verleiht deiner Garderobe eine persönliche Note und schont gleichzeitig die Ressourcen. Die Bandbreite des Upcyclings reicht von einfachen Anpassungen – wie die Verwandlung eines alten T-Shirts in ein trendiges Crop-Top – bis hin zu komplexeren Projekten, wie dem Erschaffen eines völlig neuen Kleidungsstücks aus mehreren ungenutzten Textilien. Dieser Prozess stärkt nicht nur die Kreativität, sondern fördert auch ein tiefgehendes Verständnis für den Wert und das Potenzial von Materialien, die andernfalls als Abfall gesehen würden.

Durch Reparieren und Upcycling stärken wir die Beziehung zu unserer Kleidung und leisten einen aktiven Beitrag zur Reduzierung des ökologischen Fußabdrucks. Diese Praktiken fördern einen bewussteren Konsum und betonen die Wichtigkeit von Nachhaltigkeit in der Mode. Sie zeigen, dass Mode nicht nur eine Stilfrage ist, sondern auch eine des Umweltbewusstseins und der sozialen Verantwortung. Indem wir Kleidung reparieren und upcyclen, setzen wir ein starkes Zeichen gegen die schnelllebige Modeindustrie und für eine nachhaltigere, bewusstere Zukunft.

Hier sind fünf empfehlenswerte Webseiten, die sich dem Reparieren und Upcycling von Kleidung widmen und dir dabei helfen können, deine Garderobe nachhaltig zu gestalten:

Zero-Waste-Lifestyle

Pumora.de bietet Anleitungen zum Aufpeppen von Kleidung mit Stickereien und Tipps zum Reparieren von Tshirt-Nähten ohne Nähmaschine. Sie zeigen, wie du Lieblingskleidungsstücke kreativ reparieren kannst, um ihnen einen neuen Charme zu verleihen.

Smarticular.net präsentiert eine Vielzahl an Upcycling-Ideen für alte Kleidung, wie man aus Jeans, T-Shirts und Stoffresten neue Kleidungsstücke und Accessoires kreieren kann. Die Seite betont die Bedeutung von kreativem Wiederverwenden als Beitrag zum Umweltschutz.

Fairlyfab.com liefert praktische Tipps für Upcycling-Projekte, darunter das Auswechseln von Knöpfen, das Verändern der Silhouette von Kleidungsstücken und das Umwandeln von Skinny Jeans in Schlaghosen. Die Webseite hebt hervor, wie einfach es sein kann, mit grundlegenden Nähkenntnissen und ein wenig Kreativität alte Kleider zu transformieren.

Selfmade.com fokussiert sich auf die Kunst des Flickens als Methode, um Kleidung ein zweites Leben zu schenken. Die Seite ermutigt dazu, Wertschätzung für den Besitz wiederzuentdecken und nachhaltige Gewohnheiten zu entwickeln, indem man sich mit der Reparatur von Kleidungsstücken auseinandersetzt.

Reparierenistliebe.com zielt darauf ab, die Langlebigkeit von Kleidung durch DIY-Reparaturen zu fördern. Die

Webseite bietet einen Einblick in verschiedene Techniken und Werkzeuge, die benötigt werden, um Kleidungsstücke zu reparieren und persönliche Kunstwerke zu kreieren, und betont die Freude am kreativen Prozess.

Nachhaltige Modeunternehmen unterstützen

Die Unterstützung von nachhaltigen Modeunternehmen ist ein bedeutender Schritt hin zu einem verantwortungsbewussten Konsumverhalten und einem nachhaltigeren Modemarkt. Diese Unternehmen setzen sich für ethische Produktionsbedingungen, die Verwendung umweltfreundlicher Materialien und die Förderung von Langlebigkeit und Qualität ein. Im Gegensatz zur Fast-Fashion-Industrie, die oft durch Massenproduktion, schnelle Trends und niedrige Preise auf Kosten der Umwelt und der Arbeitnehmer gekennzeichnet ist, streben nachhaltige Modeunternehmen danach, positive Veränderungen in der Branche herbeizuführen. Hier sind 20 nachhaltige Modeunternehmen, die für ihre Bemühungen um Nachhaltigkeit, Fair Trade und ökologische Verantwortung bekannt sind:

Patagonia - Bekannt für sein Engagement für Umweltschutz und Nachhaltigkeit, bietet hochwertige Outdoor-Bekleidung.

Zero-Waste-Lifestyle

<u>Eileen Fisher</u> - Setzt auf organische und nachhaltige Materialien sowie auf faire Arbeitsbedingungen.

<u>Stella McCartney</u> - Ein Luxusmodehaus, das sich auf die Verwendung von cruelty-free und umweltfreundlichen Materialien konzentriert.

<u>People Tree</u> - Pionier im Bereich Fair Trade und ökologische Mode, bekannt für die Verwendung von nachhaltigen Materialien.

<u>Veja</u> - Stellt Sneaker her, die aus ökologischen und nachhaltigen Materialien gefertigt werden.

<u>Reformation</u> - Bietet trendige Mode an, die unter Berücksichtigung der Umweltbelastung produziert wird.

<u>Thought Clothing</u> - Nutzt natürliche und recycelte Materialien für seine vielfältige Bekleidungslinie.

<u>Kotn</u> - Fokussiert auf ägyptische Baumwolle und faire Handelspraktiken, um die Lebensqualität der Baumwollbauern zu verbessern.

<u>Tentree</u> - Für jedes verkaufte Produkt pflanzt das Unternehmen zehn Bäume, um positive Umwelteinflüsse zu fördern.

<u>Pact</u> - Spezialisiert auf Basics aus Bio-Baumwolle und engagiert sich für faire Arbeitsbedingungen.

Everlane - Bekannt für Transparenz in der Preisgestaltung und die Verwendung von ethisch bezogenen Materialien.

Alternative Apparel - Bietet Casual Wear aus nachhaltigen Materialien und legt Wert auf soziale Verantwortung.

United By Blue - Für jedes verkaufte Produkt wird Müll aus den Weltmeeren entfernt.

Nudie Jeans - Bietet Jeans aus organischer Baumwolle an und fördert das kostenlose Reparieren ihrer Produkte.

Levi's - Durch ihr Water-Less-Programm reduziert Levi's den Wasserverbrauch bei der Produktion signifikant.

Rapanui - Nutzt erneuerbare Energien für die Produktion und bietet ein Rücknahmesystem für alte Produkte an.

Bamboo Body - Verwendet Bambusfasern für die Herstellung von weicher und nachhaltiger Kleidung.

Armedangels - Legt den Fokus auf faire Produktion und nachhaltige Materialien wie Bio-Baumwolle.

Zero-Waste-Lifestyle

Outerknown - Gründet auf die Prinzipien der Nachhaltigkeit und Transparenz, insbesondere bei der Herstellung von Surfbekleidung.

Lanius - Kombiniert nachhaltige Materialien mit fairer Produktion, um modische und langlebige Kleidung anzubieten.

Diese Unternehmen zeigen, dass Mode sowohl stilvoll als auch nachhaltig sein kann. Durch den Kauf bei Marken, die sich für ökologische Nachhaltigkeit und ethische Praktiken einsetzen, können Verbraucher die Modeindustrie positiv beeinflussen und einen Beitrag zum Schutz unseres Planeten leisten. Es ist wichtig, sich bewusst zu machen, dass jeder Kauf eine Wahl darstellt und die Möglichkeit bietet, die Nachfrage nach verantwortungsbewusster Mode zu steigern.

Die Bedeutung von Materialien

Die Auswahl der Materialien spielt eine entscheidende Rolle für die Nachhaltigkeit von Modeprodukten. Materialien beeinflussen nicht nur die Umweltauswirkungen eines Kleidungsstücks während seiner Lebensdauer, sondern auch sein Endschicksal – ob es recycelt, kompostiert oder deponiert wird. In der nachhaltigen Mode geht es darum, Materialien zu wählen, die minimale negative Auswirkungen auf die Umwelt haben, angefangen von der Rohstoffgewinnung über die Produktion bis zum Endprodukt.

Natürliche Materialien wie Bio-Baumwolle, Leinen, Hanf und Wolle werden wegen ihrer biologischen Abbaubarkeit und geringeren Umweltbelastung bei der Produktion geschätzt. Bio-Baumwolle beispielsweise wird ohne den Einsatz von synthetischen Pestiziden und Düngemitteln angebaut, was die Bodengesundheit erhält und die Wasserverschmutzung reduziert. Leinen und Hanf benötigen im Vergleich zu konventioneller Baumwolle weniger Wasser und Pestizide, was sie zu umweltfreundlicheren Optionen macht. Wolle ist ein natürlicher, nachwachsender Rohstoff, der biologisch abbaubar ist und im Vergleich zu synthetischen Fasern eine längere Lebensdauer aufweist.

Recycelte Materialien bieten eine weitere Möglichkeit, die Umweltauswirkungen der Modeindustrie zu reduzieren. Durch die Wiederverwendung bereits existierender Materialien wie recyceltem Polyester oder recycelter Baumwolle kann der Bedarf an neuen Rohstoffen verringert und der Energieverbrauch sowie die CO_2-Emissionen bei der Produktion reduziert werden. Recycelte Materialien tragen dazu bei, den Kreislauf zu schließen und die Modeindustrie in Richtung einer Kreislaufwirtschaft zu bewegen.

Zero-Waste-Lifestyle

<u>Innovative Materialien</u> wie Tencel oder Piñatex eröffnen neue Wege für nachhaltige Mode. Tencel, eine Faser aus Holzzellstoff, wird in einem umweltschonenden Verfahren hergestellt, das Wasser und Lösungsmittel wiederverwendet. Piñatex, gewonnen aus den Fasern von Ananasblättern, bietet eine tierfreundliche Lederalternative und nutzt dabei ein Nebenprodukt der Ananasernte.

Die Wahl nachhaltiger Materialien hat nicht nur ökologische Vorteile, sondern fördert auch soziale Gerechtigkeit und ethische Produktionsstandards. Durch die Auswahl von Materialien, die unter fairen Arbeitsbedingungen gewonnen und verarbeitet werden, können Verbraucher Marken unterstützen, die sich für die Rechte der Arbeitnehmer und die Verbesserung der Lebensbedingungen in den Produktionsländern einsetzen.

Insgesamt ist die Bedeutung von Materialien in der nachhaltigen Mode nicht zu unterschätzen. Sie sind der Schlüssel zur Verringerung der Umweltauswirkungen und zur Förderung einer Modeindustrie, die nicht nur stilvoll und innovativ ist, sondern auch verantwortungsbewusst gegenüber dem Planeten und seinen Bewohnern handelt. Indem Konsumenten bewusst Materialien wählen, die Nachhaltigkeitskriterien erfüllen, tragen sie aktiv zu einem positiven Wandel bei.

Minimalistische Garderobe

Eine minimalistische Garderobe, oft auch als Capsule Wardrobe bezeichnet, steht für den bewussten Verzicht auf eine überfüllte Garderobe zugunsten einer sorgfältig kuratierten Auswahl an Kleidungsstücken, die nicht nur vielseitig und zeitlos sind, sondern auch den persönlichen Stil und die Lebensweise widerspiegeln. Diese Herangehensweise fördert nicht nur einen nachhaltigeren Konsum, sondern auch ein vereinfachtes, klareres Leben, in dem Qualität über Quantität gestellt wird. Hier sind zehn praktische Tipps, um eine minimalistische Garderobe zu gestalten:

Bestandsaufnahme machen: Beginne damit, deinen aktuellen Kleiderschrank zu überprüfen. Sortiere Kleidung aus, die du nicht mehr trägst, die nicht passt oder beschädigt ist.

Definiere deinen Stil: Verstehe, was dein persönlicher Stil ist und welche Kleidungsstücke dich am wohlsten fühlen lassen. Dies erleichtert die Auswahl von Stücken, die du tatsächlich tragen wirst.

Setze auf Vielseitigkeit: Wähle Kleidungsstücke, die auf verschiedene Weisen kombiniert werden können, um eine Vielzahl von Outfits für unterschiedliche Anlässe zu kreieren.

<u>Qualität vor Quantität:</u> Investiere in hochwertige Kleidungsstücke, die langlebig sind und auch nach häufigem Tragen noch gut aussehen.

<u>Farbpalette festlegen:</u> Eine kohärente Farbpalette erleichtert das Kombinieren von Kleidungsstücken und schafft einen harmonischen Look.

<u>Basisgarderobe aufbauen:</u> Konzentriere dich zunächst auf die Beschaffung von Basisstücken, wie einem guten Paar Jeans, einfachen T-Shirts und vielseitigen Jacken, die die Grundlage deiner Garderobe bilden.

<u>Saisonale Anpassungen vornehmen:</u> Passe deine Garderobe an die jeweilige Saison an, indem du saisonale Stücke ein- oder auslagerst, ohne jedoch den Kern deiner Garderobe zu verändern.

<u>Accessoires gezielt einsetzen:</u> Accessoires wie Schals, Gürtel und Schmuck können einfache Outfits aufwerten und variieren, ohne dass viele verschiedene Kleidungsstücke benötigt werden.

<u>Nachhaltige und ethische Marken unterstützen:</u> Bevorzuge beim Kauf neuer Kleidungsstücke Marken, die sich für Nachhaltigkeit und faire Arbeitsbedingungen einsetzen.

<u>Regelmäßige Überprüfungen:</u> Nimm dir Zeit, deine Garderobe regelmäßig zu überprüfen und anzupassen. Dies hilft, den Überblick zu behalten und sicherzustellen, dass deine Garderobe deinen aktuellen Bedürfnissen und deinem Stil entspricht.

Indem man eine minimalistische Garderobe pflegt, reduziert man nicht nur den eigenen ökologischen Fußabdruck, sondern fördert auch ein bewussteres und zufriedeneres Leben. Eine solche Garderobe spiegelt eine gezielte Entscheidung wider, sich von der Konsumkultur zu lösen und stattdessen Werte wie Nachhaltigkeit, Qualität und persönlichen Ausdruck zu priorisieren.

Nachhaltigkeit in der Pflege

Nachhaltigkeit in der Pflege von Kleidung ist entscheidend, um die Lebensdauer von Textilien zu verlängern und gleichzeitig den ökologischen Fußabdruck zu minimieren. Eine bewusste Pflege trägt nicht nur dazu bei, Ressourcen zu schonen, sondern kann auch dazu beitragen, den Verbrauch von Wasser, Energie und chemischen Produkten zu reduzieren. Hier sind zehn Tipps für eine nachhaltigere Pflege Ihrer Kleidung:

<u>Kalt waschen:</u> Waschen Sie Ihre Kleidung so oft wie möglich in kaltem Wasser. Dies spart Energie, da ein Großteil des Energieverbrauchs beim Waschen auf das Erhitzen des Wassers zurückzuführen ist.

Zero-Waste-Lifestyle

<u>Vollständige Waschladungen:</u> Warten Sie, bis Sie eine vollständige Ladung haben, bevor Sie die Waschmaschine starten. Dies maximiert die Effizienz jeder Wäsche und spart Wasser und Energie.

<u>Mildes Waschmittel verwenden:</u> Wählen Sie umweltfreundliche Waschmittel, die biologisch abbaubar sind und keine schädlichen Chemikalien enthalten, die in Gewässer gelangen können.

<u>Wäscheleinen nutzen:</u> Trocknen Sie Ihre Kleidung, wann immer möglich, an der Luft. Das Trocknen an der Wäscheleine reduziert den Energieverbrauch und die Abnutzung der Kleidung, die durch den Trockner verursacht werden kann.

<u>Fleckenbehandlung:</u> Behandeln Sie Flecken sofort und lokal, anstatt das gesamte Kleidungsstück zu waschen. Dies spart Wasser und verhindert unnötige Waschgänge.

<u>Waschbeutel für Mikrofasern:</u> Verwenden Sie einen Waschbeutel für synthetische Kleidung, um zu verhindern, dass Mikroplastik in die Wassersysteme gelangt.

<u>Richtiges Sortieren:</u> Sortieren Sie Ihre Wäsche nach Farben und Materialien, um die Effizienz des Waschens zu erhöhen und Farbübertragungen zu vermeiden.

<u>Weniger Waschmittel:</u> Verwenden Sie nicht mehr Waschmittel als nötig. Überdosierung führt nicht zu saubererer Wäsche, sondern belastet die Umwelt unnötig.

<u>Pflegeetiketten beachten:</u> Beachten Sie die Pflegehinweise auf den Etiketten Ihrer Kleidung, um sicherzustellen, dass Sie diese richtig pflegen und ihre Lebensdauer verlängern.

<u>Reparieren statt wegwerfen:</u> Kleinere Schäden wie lose Knöpfe oder kleine Risse sollten sofort repariert werden, um größere Schäden zu vermeiden und die Notwendigkeit eines Neukaufs zu reduzieren.

Durch die Umsetzung dieser Tipps können Sie nicht nur die Lebensdauer Ihrer Kleidung verlängern, sondern auch aktiv zum Umweltschutz beitragen. Nachhaltigkeit in der Kleiderpflege erfordert bewusste Entscheidungen, die sowohl die Umwelt als auch Ihre Garderobe positiv beeinflussen. Es zeigt, dass kleine Veränderungen in unseren Alltagsroutinen einen großen Unterschied machen können.

Einfluss durch soziale Medien

Der Einfluss sozialer Medien auf die Förderung von Nachhaltigkeit in der Modeindustrie ist in den vergangenen Jahren zunehmend sichtbar geworden. Plattformen wie Instagram, Facebook, YouTube und TikTok erlauben einflussreichen Stimmen und Marken, ein großes Publikum zu erreichen und Bewusstsein für die Bedeutung von nachhaltiger Mode zu schaffen. Diese digitalen Kanäle haben sich als mächtige Werkzeuge erwiesen, um Informationen zu teilen, Bildungsarbeit zu leisten und Veränderungen im Konsumverhalten anzustoßen.

Bildung und Bewusstsein: Soziale Medien dienen als Informationsquelle über die negativen Auswirkungen der Fast-Fashion-Industrie auf Umwelt und Gesellschaft. Influencer und Blogger, die sich auf nachhaltige Mode spezialisiert haben, nutzen ihre Plattformen, um ihre Follower über Themen wie Überproduktion, Ressourcenverschwendung und die Arbeitsbedingungen in der Textilindustrie aufzuklären. Durch informative Beiträge, Dokumentationsempfehlungen und Diskussionen tragen sie dazu bei, das Bewusstsein für diese Probleme zu schärfen.

Vorbilder und Inspiration: Viele Influencer teilen ihre persönlichen Reisen hin zu einem nachhaltigeren Lebensstil, bieten praktische Tipps für den Alltag und zeigen, wie stilvolle und verantwortungsbewusste Mode aussehen kann. Sie fungieren als Vorbilder und inspirieren ihre Follower, ähnliche Veränderungen in ihrem Leben vorzunehmen.

<u>Förderung von Transparenz:</u> Soziale Medien erhöhen den Druck auf Modeunternehmen, transparenter bezüglich ihrer Produktionsprozesse und Lieferketten zu sein. Kampagnen und Hashtags fordern Marken heraus, ihre Umwelt- und Sozialstandards zu verbessern und über Fortschritte öffentlich zu berichten.

<u>Unterstützung nachhaltiger Marken:</u> Kleine und mittelständische Unternehmen, die sich für Nachhaltigkeit einsetzen, profitieren von der Reichweite sozialer Medien, um ihre Geschichten und Produkte zu teilen. Influencer-Kooperationen und gezielte Werbung helfen diesen Marken, eine interessierte Zielgruppe zu erreichen und ihre Botschaften zu verbreiten.

<u>Community-Building:</u> Soziale Medien fördern den Aufbau einer Gemeinschaft von Gleichgesinnten, die sich für nachhaltige Mode interessieren. Diskussionsforen, Kommentarsektionen und gemeinsame Projekte ermöglichen den Austausch von Erfahrungen, Empfehlungen und Unterstützung.

Soziale Medien spielen eine wichtige Rolle bei der Förderung von Nachhaltigkeit in der Mode. Influencer und Modeblogger, die sich für nachhaltige Mode einsetzen, können ein großes Publikum erreichen und Bewusstsein für die Thematik schaffen. Durch das Teilen von Informationen über nachhaltige Marken, DIY-Projekte und

Tipps für einen bewussteren Konsum können sie inspirieren und zum Umdenken anregen.

Aktivismus und Advocacy

Aktivismus und Advocacy spielen eine entscheidende Rolle in der Bewegung hin zu einer nachhaltigeren Modeindustrie. In einer Welt, in der die Modebranche zu den größten Umweltverschmutzern gehört und soziale Ungerechtigkeiten oft Teil der Lieferkette sind, ist das Engagement für Veränderung unerlässlich. Aktivisten, Verbraucher, Designer und Unternehmen setzen sich zunehmend für ethische Praktiken, Transparenz und Umweltschutz ein, um die Branche von innen heraus zu reformieren.

Bildung und Sensibilisierung: Aktivismus beginnt mit der Aufklärung der Öffentlichkeit über die negativen Auswirkungen der Fast-Fashion-Industrie auf Umwelt und Gesellschaft. Durch Workshops, Kampagnen, soziale Medien und öffentliche Reden arbeiten Aktivisten daran, Bewusstsein zu schaffen für Themen wie Wasserverschwendung, chemische Verschmutzung, Ausbeutung von Arbeitskräften und die Wegwerfkultur. Diese Aufklärungsarbeit ist entscheidend, um Verbraucher zu informieren und zu motivieren, nachhaltigere Modeentscheidungen zu treffen.

Zero-Waste-Lifestyle

<u>Förderung von Transparenz:</u> Advocacy-Gruppen fordern von Modeunternehmen, offen über ihre Produktionsprozesse, Lieferketten und Umweltauswirkungen zu berichten. Durch Petitionen, offene Briefe und Kampagnen setzen sie Unternehmen unter Druck, Verantwortung für ihre Praktiken zu übernehmen und Verbesserungen vorzunehmen. Transparenz ist der erste Schritt zur Verantwortlichkeit und ermöglicht Verbrauchern, fundierte Entscheidungen zu treffen.

<u>Unterstützung ethischer Marken:</u> Aktivisten und Fürsprecher fördern den Kauf von Produkten bei Marken, die sich für ethische Arbeitsbedingungen, faire Löhne und nachhaltige Materialien einsetzen. Sie heben positive Beispiele hervor und zeigen, dass Mode sowohl schön als auch verantwortungsvoll sein kann. Durch die Unterstützung dieser Marken tragen sie zur Nachfrage nach ethisch produzierter Mode bei und ermutigen andere Unternehmen, ihrem Beispiel zu folgen.

<u>Einflussnahme auf die Politik:</u> Advocacy geht über den Konsum hinaus und umfasst auch die Bemühungen, politische Veränderungen herbeizuführen. Aktivisten arbeiten daran, Gesetze und Vorschriften zu beeinflussen, die Unternehmen dazu verpflichten, umweltfreundliche Praktiken zu adoptieren und für faire Arbeitsbedingungen zu sorgen. Sie setzen sich für Maßnahmen ein, die den Einsatz schädlicher Chemikalien einschränken, Recycling fördern und die

Verantwortung der Unternehmen für ihre gesamte Lieferkette stärken.

Community Building: Aktivismus und Advocacy schaffen eine Gemeinschaft von Gleichgesinnten, die sich für die Sache der nachhaltigen Mode einsetzen. Durch Veranstaltungen, Foren und soziale Netzwerke vernetzen sich Aktivisten, teilen Ressourcen, Wissen und Strategien, um ihre Botschaft zu verstärken und gemeinsam Veränderungen zu bewirken.

Indem sie sich für eine Veränderung in der Modeindustrie einsetzen, tragen Aktivisten und Fürsprecher dazu bei, eine Zukunft zu gestalten, in der Mode nicht auf Kosten unseres Planeten oder der Menschen, die unsere Kleidung herstellen, geht. Ihr Engagement zeigt, dass kollektive Aktionen eine kraftvolle Kraft für positive Veränderungen sein können und jeder Einzelne die Macht hat, zur Nachhaltigkeit beizutragen.

Zero Waste unterwegs

Die Umsetzung eines Zero-Waste-Lifestyles unterwegs erfordert ein gewisses Maß an Planung und das Bewusstsein für die Auswirkungen unserer täglichen Entscheidungen auf die Umwelt. Ob auf dem Weg zur Arbeit, in der Schule oder während des Reisens – es gibt zahlreiche Möglichkeiten, um umweltbewusster zu handeln und unseren ökologischen Fußabdruck zu minimieren. Dieser Ansatz fördert nicht nur die Nachhaltigkeit, sondern trägt auch dazu bei, ein stärkeres Bewusstsein für die Konsequenzen unseres Konsums zu entwickeln.

Zero Waste Tipps fürs Büro und die Schule

Die Integration eines Zero Waste Leben in Büro und Schule stellt eine wichtige Möglichkeit dar, den täglichen Plastikverbrauch zu reduzieren und einen positiven Beitrag zum Umweltschutz zu leisten. In diesen Umgebungen, in denen wir einen großen Teil unserer Zeit verbringen, fallen oft unbemerkt große Mengen an Müll an – von Einweg-Kaffeebechern bis zu Plastikverpackungen für Snacks. Durch bewusste Entscheidungen und kleine Anpassungen in unseren Gewohnheiten können wir jedoch einen signifikanten Unterschied machen.

Wiederverwendbare Artikel nutzen: Die Verwendung von wiederverwendbaren Wasserflaschen, Kaffeebechern und Lunch boxen ist eine der effektivsten Maßnahmen, um Einwegplastik zu vermeiden. Viele dieser Produkte sind nicht nur funktional, sondern auch ästhetisch ansprechend gestaltet, was ihre Nutzung im Alltag attraktiv macht. Ebenso halten Getränke in isolierten Behältern länger die gewünschte Temperatur.

Eigenes Essen vorbereiten: Das Mitbringen von selbst zubereiteten Snacks und Mittagessen in wiederverwendbaren Behältern trägt nicht nur zur Reduzierung von Verpackungsmüll bei, sondern ermöglicht auch eine gesündere und kostengünstigere Ernährung. Durch die Planung der Mahlzeiten im Voraus lässt sich zudem Lebensmittelverschwendung vermeiden.

Digitale Dokumente bevorzugen: Die Nutzung digitaler Dokumente anstelle von ausgedruckten Unterlagen spart Papier und Tinte. In Büro und Schule können Präsentationen, Notizen und Aufgaben problemlos digital erstellt, geteilt und bearbeitet werden, was die Notwendigkeit physischer Kopien reduziert.

Umweltfreundliche Büro- und Schulmaterialien: Investieren Sie in hochwertige, langlebige Materialien wie Metallstifte, nachfüllbare Marker und Notizbücher aus recyceltem Papier. Solche Produkte müssen seltener ersetzt werden und reduzieren den Abfall.

Zero-Waste-Lifestyle

<u>Gemeinschaftliche Initiativen fördern:</u> Die Organisation von Tauschbörsen für Bücher, Materialien und Kleidung kann Ressourcen sparen und die Gemeinschaft stärken. Ebenso tragen Informationsveranstaltungen und Workshops zum Thema Nachhaltigkeit dazu bei, das Bewusstsein unter Kollegen und Mitschülern zu schärfen.

<u>Anreize für nachhaltiges Pendeln:</u> Die Förderung von umweltfreundlichen Transportmitteln wie Fahrradfahren, gemeinsame Fahrten oder die Nutzung öffentlicher Verkehrsmittel verringert den CO_2-Fußabdruck des Weges zur Arbeit oder Schule. Arbeitgeber und Schulen können hier unterstützend wirken, indem sie etwa sichere Fahrradabstellplätze oder Zuschüsse für öffentliche Verkehrsmittel anbieten.

<u>Energieeffizienz steigern:</u> Das Bewusstsein für den Energieverbrauch in Büro- und Schulgebäuden zu schärfen, ist ebenfalls wichtig. Das Ausschalten von Lichtern in ungenutzten Räumen und das Nutzen von Energiesparmodi an elektronischen Geräten können den Energieverbrauch erheblich reduzieren.

Durch die Implementierung dieser Maßnahmen in Büro und Schule kann jeder Einzelne zu einer Kultur der Nachhaltigkeit beitragen. Es geht darum, bewusste Entscheidungen zu treffen, die nicht nur unseren ökologischen Fußabdruck verringern, sondern auch das

Wohlbefinden und die Gemeinschaft fördern. Ein Zero Waste Lebensstil in diesen Bereichen unseres Lebens zu pflegen, zeigt, dass nachhaltiges Handeln in jedem Kontext möglich und wirkungsvoll ist.

Nachhaltig Reisen

Nachhaltiges Reisen gewinnt in einer Zeit zunehmender Umweltbewusstheit immer mehr an Bedeutung. Es geht darum, die Welt zu entdecken, ohne dabei unseren Planeten unnötig zu belasten. Durch bewusste Entscheidungen können Reisende ihren ökologischen Fußabdruck minimieren und gleichzeitig authentische und bereichernde Erfahrungen sammeln. Hier sind 20 nachhaltige Reiseunternehmen und Tipps, die Ihnen helfen, umweltbewusster zu reisen:

Intrepid Travel bietet Gruppenreisen an, die auf nachhaltigen Tourismus und echte lokale Erlebnisse ausgerichtet sind.

G Adventures fokussiert auf kleine Gruppen und fördert lokale Gemeinschaften, während es einzigartige Abenteuer weltweit anbietet.

Responsible Travel verbindet Reisende mit einer breiten Palette an nachhaltigen Reiseoptionen und -erlebnissen.

Ecolodges: Wählen Sie Unterkünfte, die sich für ökologische Nachhaltigkeit einsetzen, wie die Lapa Rios

Lodge in Costa Rica oder die Daintree Ecolodge in Australien.

<u>Bahnreisen:</u> Bevorzugen Sie Züge gegenüber Flugzeugen, um Ihren CO_2-Fußabdruck zu reduzieren. Unternehmen wie die Deutsche Bahn und Amtrak bieten umweltfreundliche Alternativen.

<u>Fahrradtouren</u> bieten eine umweltfreundliche Möglichkeit, ein neues Gebiet zu erkunden. Grasshopper Adventures ist ein Beispiel für ein Unternehmen, das nachhaltige Fahrradreisen anbietet.

<u>Mitbringen eigener Behälter:</u> Nutzen Sie wiederverwendbare Wasserflaschen, Kaffeebecher und Essensbehälter, um Einwegplastik zu vermeiden.

<u>Lokale Produkte kaufen:</u> Unterstützen Sie lokale Märkte und Handwerker, um die regionale Wirtschaft zu stärken und Transportwege zu minimieren.

<u>Öffentliche Verkehrsmittel:</u> Nutzen Sie vor Ort Busse, Bahnen und andere öffentliche Verkehrsmittel, um Ihren CO_2-Ausstoß zu verringern.

<u>CO_2-Kompensation:</u> Kompensieren Sie die Emissionen Ihrer Reise durch Investitionen in Klimaschutzprojekte. Plattformen wie Atmosfair und MyClimate bieten entsprechende Optionen.

Zero-Waste-Lifestyle

Nachhaltige Reiseutensilien: Wählen Sie Produkte wie Solarladegeräte, biologisch abbaubare Hygieneprodukte und Mikrofaserhandtücher.

Eco-Friendly Tours: Unternehmen wie EcoColors, das nachhaltige Touren in Mexiko anbietet, fokussieren auf den Schutz der Umwelt und der Tierwelt.

Nachhaltige Reise-Apps: Apps wie Green Globe helfen Ihnen, nachhaltige Hotels, Attraktionen und Touren zu finden.

Plastikfreie Reiseziele: Besuchen Sie Orte, die sich für die Reduktion von Plastikmüll einsetzen, wie die Malediven oder Ruanda.

Vegane und vegetarische Ernährung: Bevorzugen Sie pflanzliche Optionen, um den ökologischen Fußabdruck Ihrer Ernährung zu minimieren.

Wasserschutz: Vermeiden Sie übermäßigen Wasserverbrauch, besonders in Regionen, in denen Wasser knapp ist.

Naturverbundene Aktivitäten: Wählen Sie Erlebnisse, die die Natur respektieren und schützen, wie Wandern, Schnorcheln in geschützten Gebieten oder Vogelbeobachtungen.

Zero-Waste-Lifestyle

Reisen in der Nebensaison: Vermeiden Sie Massentourismus, indem Sie Reiseziele in der Nebensaison besuchen, was auch zur Entlastung lokaler Ressourcen beiträgt.

Bildung und Respekt: Informieren Sie sich über lokale Kulturen und Traditionen und begegnen Sie ihnen mit Respekt.

Zero Waste Kits für Reisende: Stellen Sie sich ein Set aus wiederverwendbaren Utensilien zusammen, um auch unterwegs nachhaltig zu leben.

Indem Reisende diese Unternehmen und Tipps berücksichtigen, können sie zu einer Kultur des nachhaltigen Tourismus beitragen, die nicht nur die Umwelt schützt, sondern auch lokale Gemeinschaften unterstützt und bereichert.

Öffentliche Verkehrsmittel und Fahrradfahren:

Die Nutzung öffentlicher Verkehrsmittel oder das Fahrradfahren sind nicht nur umweltfreundliche Alternativen zum Autofahren, sondern erlauben auch, die Umgebung aus einer neuen Perspektive zu erleben. In vielen Städten gibt es mittlerweile gut ausgebaute Radwege und Fahrradverleihsysteme, die eine einfache und nachhaltige Fortbewegung ermöglichen.

Zero-Waste-Lifestyle

Müllvermeidung auf Reisen:

Wenn wir unterwegs sind, ist es besonders wichtig, auf unsere Abfallproduktion zu achten. Das Mitführen von Mehrwegartikeln, die Vermeidung von verpackten Lebensmitteln und Getränken und die Entscheidung für Produkte mit minimaler Verpackung können helfen, Müll zu vermeiden. Zudem ist es sinnvoll, immer eine Tasche für den Einkauf dabei zu haben und bei Bedarf nachfüllbare Reise-Größen von Kosmetikprodukten zu nutzen.

Ein Zero Waste Lifestyle unterwegs erfordert Planung und das Bewusstsein für die Auswirkungen unserer Entscheidungen. Doch mit einigen einfachen Anpassungen können wir auch außerhalb unseres Zuhauses einen bedeutenden Beitrag zum Umweltschutz leisten und zeigen, dass nachhaltiges Handeln auch unterwegs möglich ist.

Einbindung der Familie

Die Einbindung der Familie in den Zero Waste Lifestyle ist ein wichtiger Schritt, um nachhaltige Praktiken im Alltag zu verankern und langfristig beizubehalten. Hier sind einige Strategien, um die Familie aktiv in diesen Prozess einzubeziehen:

Bildung und Bewusstsein schaffen: Beginnt gemeinsam eine Lernreise, um das Bewusstsein für Umweltthemen und die Bedeutung eines Zero Waste Lebensstile zu schärfen. Nutzt Bücher, Dokumentationen und Online-Ressourcen, um die Auswirkungen unseres Konsums auf den Planeten zu verstehen.

Gemeinsame Zielsetzung: Setzt als Familie konkrete und erreichbare Ziele für die Reduzierung von Abfall. Das kann die Vermeidung von Plastikverpackungen, das regelmäßige Pflegen eines Komposthaufens oder das gemeinsame Einkaufen von saisonalen und regionalen Produkten umfassen. Klare Ziele motivieren und bieten Richtlinien für das tägliche Handeln.

Aufgabenverteilung: Teilt Verantwortlichkeiten und Aufgaben entsprechend den Interessen und Fähigkeiten jedes Familienmitglieds auf. Das kann das Sammeln von Kompostabfällen, das Nähen von Stoffbeuteln oder das Planen von Zero Waste Mahlzeiten beinhalten. Die aktive Beteiligung stärkt das Gefühl der Zugehörigkeit und Verantwortung.

Kreative Projekte: Engagiert euch gemeinsam in DIY-Projekten, die nachhaltige Lebensweisen unterstützen. Das kann von der Herstellung eigener Pflegeprodukte bis zum Bau eines Gemüsebeets im Garten reichen. Solche Aktivitäten sind nicht nur lehrreich, sondern machen auch Spaß und fördern die Kreativität.

Reflexion und Anpassung: Nehmt euch regelmäßig Zeit, um als Familie zusammenzukommen und über Erfahrungen, Erfolge und Herausforderungen zu sprechen. Diese Reflexionen erlauben, Strategien anzupassen, Erfolge zu feiern und einander zu motivieren.

Die Einbindung der Familie in den Zero Waste Lifestyle stärkt den familiären Zusammenhalt und fördert Werte wie Teamarbeit, Respekt vor der Natur und Verantwortungsbewusstsein. Kinder, die frühzeitig in nachhaltige Praktiken eingebunden werden, entwickeln ein tiefes Umweltbewusstsein und lernen, bewusste Entscheidungen zu treffen, die sie ihr Leben lang begleiten werden. Ferner dient die Familie als Vorbild für die Gemeinschaft, inspiriert andere und trägt zur Verbreitung umweltfreundlicher Lebensweisen bei.

Zero Waste und Gesellschaft

Der Übergang zu einem Zero Waste Lifestyle kann nicht nur individuelle Veränderungen bewirken, sondern auch die Gesellschaft insgesamt positiv beeinflussen. Hier sind einige Wege, wie wir dazu beitragen können, Zero Waste Prinzipien in der Gesellschaft zu fördern:

Inspirieren und Informieren: Indem wir unsere eigenen Erfahrungen und Erfolge teilen, sei es in sozialen Medien, Blogs oder persönlichen Gesprächen, können wir andere dazu inspirieren, sich ebenfalls für einen Zero Waste Lebensstil zu entscheiden. Bildungsworkshops und Informationsveranstaltungen sind weitere Möglichkeiten, um das Bewusstsein für Zero Waste zu erhöhen.

Aufbau von Zero Waste Gemeinschaften: Lokale Gemeinschaften spielen eine entscheidende Rolle bei der Förderung nachhaltiger Lebensweisen. Durch die Gründung oder Teilnahme an Zero Waste Gruppen können wir Gleichgesinnte treffen, Erfahrungen austauschen und gemeinsame Projekte initiieren, wie beispielsweise Gemeinschaftsgärten oder Tauschbörsen.

Politische Beteiligung und Aktivismus: Um größere Veränderungen herbeizuführen, ist politisches

Engagement für Zero Waste und Nachhaltigkeit von entscheidender Bedeutung. Wir können Initiativen und Gesetzesvorhaben unterstützen, die auf die Reduzierung von Einwegplastik, die Förderung von Recycling und die Verantwortung der Produzenten für ihre Produkte abzielen. Petitionen, Demonstrationen und direkte Kommunikation mit politischen Vertretern sind effektive Wege, um den Zero Waste Gedanken auf die politische Agenda zu setzen.

Zusammenarbeit mit Unternehmen: Als Konsumenten haben wir eine starke Stimme und können Unternehmen zu nachhaltigeren Praktiken bewegen. Indem wir Produkte und Dienstleistungen von Unternehmen bevorzugen, die sich für Umweltschutz und die Reduzierung von Verpackungsabfall einsetzen, können wir den Wandel hin zu einer Zero Waste Gesellschaft unterstützen. Durch Feedback und bewusste Kaufentscheidungen können wir Unternehmen dazu ermutigen, ihre Geschäftsmodelle umweltfreundlicher zu gestalten.

Der Weg zu einer Zero Waste Gesellschaft erfordert Engagement, Bildung und Zusammenarbeit auf allen Ebenen. Jeder Einzelne kann einen Beitrag leisten, sei es durch persönliche Entscheidungen, die Teilnahme an Gemeinschaftsinitiativen oder politisches Engagement. Gemeinsam können wir eine nachhaltigere Zukunft gestalten und zeigen, dass ein Leben mit weniger Abfall möglich und erstrebenswert ist.

Schlusswort: Ein neues Kapitel beginnt

Wir erreichen das Ende dieses Buches, stehen aber zugleich am Anfang einer der bedeutendsten Reisen unseres Lebens – der Reise zu einem Zero Waste Lifestyle. Dieses Buch soll nicht nur als Leitfaden dienen, sondern auch als Inspirationsquelle, um die zahlreichen Möglichkeiten zu erkunden, wie wir unseren Alltag nachhaltiger gestalten können. Die vorgestellten Strategien, Ideen und Praktiken stellen lediglich den Ausgangspunkt für individuelle und gemeinschaftliche Bemühungen dar, die Welt um uns herum zu verändern.

Zero Waste ist eine Reise, die mit kleinen Schritten beginnt, aber zu tiefgreifenden Veränderungen führen kann – in unserem persönlichen Leben, in unseren Gemeinschaften und letztlich auf unserem Planeten. Jede Entscheidung, die wir jeden Tag treffen, trägt dazu bei, eine nachhaltigere Zukunft zu formen. Es geht darum, bewusster zu konsumieren, Ressourcen zu schätzen und Verantwortung für die Umwelt zu übernehmen.

Die Herausforderungen, denen wir uns auf diesem Weg stellen müssen, sind nicht zu unterschätzen. Doch ebenso unermesslich sind die Chancen, die sich bieten, wenn wir uns gemeinsam für den Schutz unserer Welt einsetzen. Zero Waste ist mehr als nur eine persönliche Entscheidung; es ist ein Aufruf zum Handeln, ein gemeinschaftliches Streben nach einer besseren, nachhaltigeren Welt.

Ich hoffe, dieses Buch hat dich nicht nur informiert, sondern auch motiviert, deinen eigenen Beitrag zu leisten. Erinnere dich daran, dass jeder Schritt zählt, egal wie klein er erscheint. Die Reise zu einem Zero Waste Lifestyle ist geprägt von Lernen, Experimentieren und Wachsen. Sie bietet uns die Möglichkeit, unsere Lebensweise grundlegend zu überdenken und zu handeln – für uns selbst, für unsere Mitmenschen und für die Erde.

Möge dieses Buch der Beginn eines neuen Kapitels in deinem Leben sein, eines Kapitels, das von Hoffnung, Veränderung und dem unermüdlichen Bestreben geprägt ist, einen positiven Einfluss auf die Welt zu nehmen. Zusammen können wir den Unterschied machen. Lass uns mutig und entschlossen voranschreiten, getragen von der Vision einer nachhaltigen und abfallfreien Welt.

Mitmachen ist so einfach – einfach anfangen!

Deine Notizen

_____

_____

_____

_____

_____

_____

_____

_____

_____

_____

_____

_____

_____

_____

_____

_____

_____

_____

Zero-Waste-Lifestyle

INFOTIME

9 783758 373398